A-Z Street Atlas of BROMLEY

Reference

Motorway	M25	Track	====
A Road	A20	Footpath	----
Under Construction		Residential Walkway	····
Proposed		Railway — Level Crossing / Station	
B Road	B265	Built Up Area	COURT / ST.
Dual Carriageway		County Boundary	—·—·
One Way A Roads — Traffic flow is indicated by a heavy line on the Drivers left.	→	District Boundary	—·—·
Pedestrianized Road	I====I	Posttown Boundary — By arrangement with the Post Office	
Restricted Access		Postcode Boundary — Within Posttown	----
		Map Continuation	10

Church or Chapel †
Fire Station ■
Hospital Ⓗ
House Numbers — A & B Roads only 246 / 213
Information Centre ⓘ
National Grid Reference 540
Police Station ▲
Post Office ★
Toilet — With Facilities for the Disabled ♿

Scale
1:19,000
3.33 inches to 1 mile

0   ¼   ½   ¾ Mile
0   250   500   750 Metres   1 Kilometre

Geographers' A-Z Map Co. Ltd.
Head Office : Fairfield Road, Borough Green, Sevenoaks, Kent TN15 8PP Telephone 01732 781000
Showrooms : 44 Gray's Inn Road, Holborn, London WC1X 8HX Telephone 0171-242-9246

G000075322

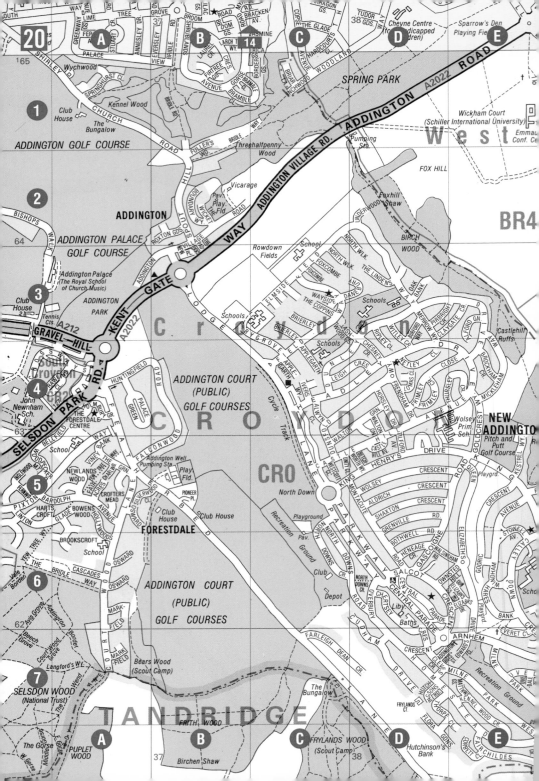

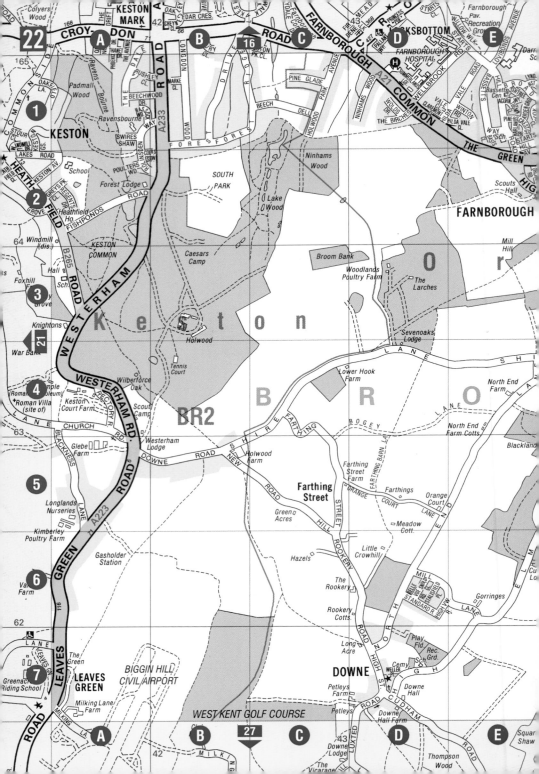

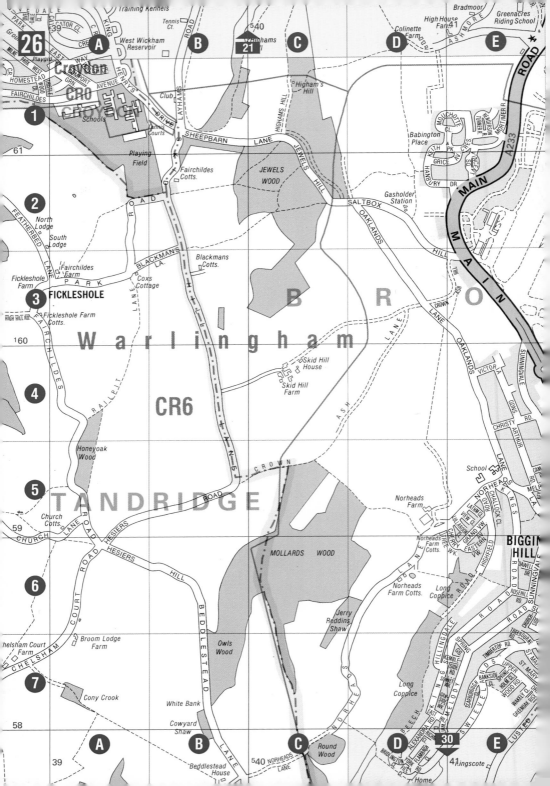

28

44 | A | B | 23 | C | D | 46 | E

Square Shaw
Hang Grove Farm
HAZELWOOD
Hazel Wood
Oak Lodge
Orpington
1
BR6
61
Downe Bank

Snag Farm
Southfields
545
SNAG LANE
Mose Cott.
The Oaks
Snag Lane Fm.
Millfield Wood
Millfield Wood
SNAG LANE

Foxberry Wood
Homefield Spring
Norsted Farm
The Bungalow
NORSTED LANE

Broom Wood
High Wood
O r p i
BR6

2
Hangrove
Shaws Cott.
HANGROVE HILL
The boundary
Overshaws
The Shaws (Girl Guides Camp)
Hostye Fm.
Fairways
Granada Ho.
Hostye Lodge
Hostye Bungalow
MACE LANE
Mace Farm
Mace Farm Cotts.
Kangles Wood

B R O M L E Y

3
ownsea Ho. ey Scouts
Twenty Acre Shaw
160
27
Holmleigh
Church Hill Farm
CUDHAM ROAD
Angas Home (Sailors Convalescent)
Foxburrow Wood
Hook Wood
NEWYEARS WOOD
Newlands Wood
LANE WASH
Birches Croft

4
Berry's
Bottom Barn Hill
CHURCH HILL ROAD
CHURCH APP.
Cudham Court Farm
Rec. Grd.
CUDHAM
The Lodge
Cudham Hall
CACKETS LANE
Cacket's Farm
Cacket's Cotts.
NEWYEARS
Jockey's Wood
S E

5
BERRY'S GREEN
Restavon Caravan Site
ST. MARY'S WAY
Blackbush Shaw
DR. CLOSE
ST. JOHNS RISE
Underhill Farm
Rosehaugh Farm
Hall
Vicarage
Parsonage Fm.
Westbrook Farm
Corkers Fm.
Maple Farm
LETT'S GREEN
LANE SHELLEYS
Cophall Wood
Shelleys
LANE NEW
Broom Wood

6
Westerham
59
Valley View
Piggeries
New Barn Farm
The Grove
BARN LANE
Nurseries
THRIFT LANE
Cedar Cott.
Thrift Farm
Little Jockey's Wd.
Burlings
Baston Wood
Wood Farm
Crittles
BURLINGS
S e v e

7
BERRY'S GREEN ROAD
NEW ROAD
TN16
Saunderstead
Kennels
Silver Beech Fm.
Buckhurst Farm
58
HORNS GREEN
Portlands
Cudham Frith
Highman's Wick
Fairmead
SOUTH
Laurel Cott.
CUDHAM FRITH
31
545
Knockholt Wood
Bowman's Orchard
Burwood
Poultry Hos.
Mountross Farm
High Land
KNOCKHOLT LANE
STONEINGS LANE
OAK LANE
ROYAL
Hazlet Wood Farm
The Mount
Minquintin
MAIN ROAD
HILL
High Hou
Pilgr He
Hitherfield
BRAS

44 | A | B | 31 | C | D | 46 | E

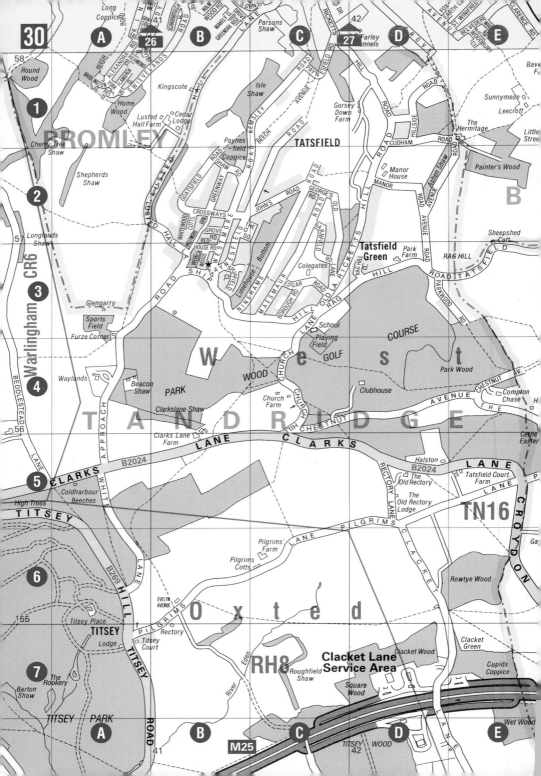

INDEX TO STREETS

HOW TO USE THIS INDEX

1. Each street name is followed by its Posttown or Postal Locality, and then by its map reference; e.g. Abbey La. Beck —4B **6** is in the Beckenham Posttown and is found in square 4B on page **6**. The page number being shown in bold type.
A strict alphabetical order is followed in which Av., Rd., St. etc. (though abbreviated) are read in full and as part of the street name; e.g. Ashgrove Rd. appears after Ash Gro. but before Ashleigh Rd.

2. Streets and a selection of Subsidiary names not shown on the Maps, appear in this index in *Italics* with the thoroughfare to which it is connected shown in brackets; e.g. *Bishops Grn. Brom —5K **7** (off Up. Park Rd.)*

3. With the now general usage of Postcodes for addressing mail, it is not recommended that this index be used for such a purpose.

GENERAL ABBREVIATIONS

All: Alley	Chyd: Churchyard	Gdns: Gardens	Sq: Square
App: Approach	Circ: Circle	Ga: Gate	Sta: Station
Arc: Arcade	Cir: Circus	Gt: Great	St: Street
Av: Avenue	Clo: Close	Grn: Green	Ter: Terrace
Bk: Back	Comn: Common	Gro: Grove	Up: Upper
Boulevd: Boulevard	Cotts: Cottages	Ho: House	Vs: Villas
Bri: Bridge	Ct: Court	Ind: Industrial	Wlk: Walk
B'way: Broadway	Cres: Crescent	Junct: Junction	W: West
Bldgs: Buildings	Dri: Drive	La: Lane	Yd: Yard
Bus: Business	E: East	Lit: Little	
Cen: Centre	Embkmt: Embankment	Lwr: Lower	
Chu: Church	Est: Estate	Mnr: Manor	
		Mans: Mansions	
		Mkt: Market	
		M: Mews	
		Mt: Mount	
		N: North	
		Pal: Palace	
		Pde: Parade	
		Pk: Park	
		Pas: Passage	
		Pl: Place	
		Rd: Road	
		S: South	

POSTTOWN AND POSTAL LOCALITY ABBREVIATIONS

Badg M: Badgers Mount	Croy: Croydon	Hex: Hextable	St M: St Mary Cray	T Hth: Thornton Heath
Beck: Beckenham	Cud: Cudham	Kes: Keston	St P: St Pauls Cray	T'sey: Titsey
Berr G: Berrys Green	Dart: Dartford	Knock: Knockholt	Sev: Sevenoaks	Warl: Warlingham
Bex: Bexley	Dow: Downe	Mitc: Mitcham	Shor: Shoreham	Well: Welling
Big H: Biggin Hill	Dun G: Dunton Green	New Ad: New Addington	Short: Shortlands	W'ham: Westerham
Brom: Bromley	F'boro: Farnborough	Orp: Orpington	Sidc: Sidcup	W Wick: West Wickham
Chels: Chelsfield	Grn St: Green Street Green	Oxt: Oxted	S Croy: South Croydon	Wilm: Wilmington
Chst: Chislehurst	Hals: Halstead	Pet W: Petts Wood	Swan: Swanley	
Crock: Crockenhill	Hayes: Hayes (Kent)	Prat B: Pratts Bottom	Tats: Tatsfield	

INDEX TO STREETS

Abbey La. Beck —4B **6**
Abbey Pk. Beck —4B **6**
Abbey Rd. Croy —7A **12**
Abbey Trading Est. SE26
—2A **6**
Abbotsbury Rd. Brom
—6G **15**
Abbots Clo. Orp —5F **17**
Abbots Way. Beck —2K **13**
Aberdare Clo. W Wick
—6D **14**
Abergeldie Rd. SE12 —3A **2**
Abingdon Way. Orp —1A **24**
Abinger Clo. Brom —7B **8**
Acacia Clo. SE20 —6F **5**
Acacia Clo. Orp —2G **17**
Acacia Gdns. W Wick
—6D **14**
Acacia Rd. Beck —7A **6**
Acacia Wlk. Swan —6J **11**
Acacia Way. Sidc —5K **3**
Academy Gdns. Croy —5E **12**
Acer Rd. Big H —5F **27**
Acorn Clo. Chst —2F **9**
Acorn Gdns. SE19 —5E **4**
Acorn Way. SE23 —1J **5**
Acorn Way. Orp —1E **22**
Adair Clo. SE25 —7G **5**
Adamsrill Rd. SE26 —1J **5**
Adams Rd. Beck —2K **13**
Adams Way. SE25 —3E **12**
Adams Way. Croy —3E **12**
Adcock Wlk. Orp —1J **23**
Adderley Gdns. SE9 —1D **8**
Addington Gro. SE26 —1K **5**
Addington Heights. New Ad
—7D **20**
Addington Rd. Croy & W Wick
—1D **20**
Addington Village Rd. Croy
(in two parts) —3A **20**
Addiscombe Av. Croy —5F **13**
Addiscombe Ct. Rd. Croy
—5D **12**

Addiscombe Gro. Croy
—6D **12**
Addiscombe Rd. Croy
—6D **12**
Addison Clo. Orp —3F **17**
Addison Dri. SE12 —2A **2**
Addison Pl. SE25 —1F **13**
Addison Rd. SE25 —1F **13**
Addison Rd. Brom —2A **16**
Addisons Clo. Croy —6A **14**
Adelaide Ct. Beck —4A **6**
Adelaide Rd. Chst —2E **8**
Admiral Seymour Rd. SE9
—1E **2**
Adolf St. SE6 —1C **6**
Advance Rd. SE27 —1E **4**
Agaton Rd. SE9 —6H **3**
Ainsdale Clo. Orp —5G **17**
Ainsworth Rd. Croy —6A **12**
Airport Ind. Est. Big H
—4F **27**
Albany M. Brom —3H **7**
Albany Rd. Chst —2E **8**
Albemarle Rd. Beck —5C **6**
Albert Rd. SE9 —7D **2**
Albert Rd. SE20 —3J **5**
Albert Rd. SE25 —1F **13**
Albert Rd. Brom —2A **16**
Albert Rd. Chels —2K **23**
Albert Yd. SE19 —3E **4**
Albion Pl. SE25 —7F **5**
Albion St. Croy —6A **12**
Albyfield. Brom —1C **16**
Alden Ct. Croy —7D **12**
Aldermary Rd. Brom —5H **7**
Alder Rd. Sidc —7K **3**
Aldersgrove Av. Croy —3J **13**
Alders, The. W Wick —6C **14**
Alderton Rd. Croy —6D **12**
Alder Way. Swan —6J **11**
Alderwood Rd. SE9 —3J **3**

Aldrich Cres. New Ad
—5D **20**
Aldwick Clo. SE9 —7J **3**
Alexander Clo. Sidc —3K **3**
Alexander Clo. Brom —5H **15**
Alexander Ct. Beck —5E **6**
Alexander Rd. Chst —3E **8**
Alexandra Clo. Swan —6K **11**
Alexandra Cres. Brom —3G **7**
Alexandra Dri. SE19 —2D **4**
Alexandra Pl. SE25 —2C **12**
Alexandra Pl. Croy —5D **12**
Alexandra Rd. SE26 —3J **5**
Alexandra Rd. Big H —1A **30**
Alexandra Rd. Croy —5D **12**
Alexandra Wlk. SE19 —2D **4**
Alfan La. Dart —2J **11**
Alford Grn. New Ad —3E **20**
Alfred Rd. SE25 —2F **13**
Alice Thompson Clo. SE12
—6B **2**
Alison Clo. Croy —5J **13**
Allandale Pl. Orp —7C **18**
Allard Clo. Orp —4B **18**
Allenby Rd. Big H —6G **27**
Allendale Clo. SE26 —2J **5**
Allen Rd. Beck —6J **5**
Allerford Rd. SE6 —1C **6**
Alleyn Rd. SE21 —1D **4**
Allington Rd. Orp —6G **17**
Allwood Clo. SE26 —1J **5**
Alma Pl. SE19 —4E **4**
Alma Pl. T Hth —2A **12**
Alma Rd. Orp —6C **18**
Almond Clo. Brom —4D **16**
Almond Dri. Swan —6J **11**
Almond Way. Brom —4D **16**
Alnwick Rd. SE12 —4A **2**
Alpha Rd. Croy —5D **12**
Alpine Clo. Croy —7D **12**
Alpine Copse. Brom —6D **8**
Altash Way. SE9 —6E **2**
Alton Gdns. Beck —4B **6**
Altyre Clo. Beck —2A **14**

Altyre Rd. Croy —6C **12**
Altyre Way. Beck —2A **14**
Alverstone Gdns. SE9 —5H **3**
Alverston Gdns. SE25
—2D **12**
Alwold Cres. SE12 —3A **2**
Alwyn Clo. New Ad —4C **20**
Amberley Clo. Orp —2J **23**
Amberley Ct. Beck —4A **6**
Amberley Ct. Sidc —2B **10**
Amberley Gro. SE26 —2G **5**
Amberley Gro. Croy —4E **12**
Amblecote Clo. SE12 —7A **2**
Amblecote Meadows. SE12
—7A **2**
Amblecote Rd. SE12 —7A **2**
Ambleside. Brom —3E **6**
Ambleside Av. Beck —2K **13**
Ambrose Clo. Orp —7J **17**
Amersham Rd. Croy —3B **12**
Amesbury Rd. Brom —7A **8**
Amherst Clo. Orp —1A **18**
Amherst Dri. Orp —1J **17**
Ancaster M. Beck —7J **5**
Ancaster Rd. Beck —7J **5**
Andace Pk. Gdns. Brom
—6K **7**
Andorra Ct. Brom —5K **7**
Andover Rd. Orp —6H **17**
Andreck Ct. Beck —6C **6**
Andrew's Clo. Orp —6C **10**
Andrews Pl. SE9 —3G **3**
Anerley Gro. SE19 —4E **4**
Anerley Hill. SE19 —3E **4**
Anerley Pk. SE20 —4F **5**
Anerley Pk. Rd. SE20 —4G **5**
Anerley Rd. SE19 & SE20
—4F **5**
Anerley Sta. Rd. SE20 —5G **5**
Anerley Vale. SE19 —4E **4**
Angelica Gdns. Croy —5J **13**
Anglesea Rd. Orp —3B **18**
Annandale Rd. Croy —6F **13**
Annandale Rd. Sidc —4K **3**

Annerley Rd. SE19 & SE20
—4F **5**
Annesley Dri. Croy —7A **14**
Anne Sutherland Ho. Beck
—4K **5**
Annsworthy Av. T Hth —7C **4**
Annsworthy Cres. SE25
—6C **4**
Anselm Clo. Croy —7E **12**
Ansford Rd. Brom —2D **6**
Anstridge Path. SE9 —3J **3**
Anstridge Rd. SE9 —3J **3**
Anthony Rd. SE25 —3F **13**
Antigua Wlk. SE19 —2C **4**
Aperfield Rd. Big H —6G **27**
Aperfields. W'ham —6G **27**
Apex Clo. Beck —5C **6**
Apollo Av. Brom —5J **7**
Appledore Clo. Brom —2H **15**
Appledore Cres. Sidc —7K **3**
Applegarth. New Ad —4C **20**
(in two parts)
Appleton Rd. SE9 —1D **2**
Approach Rd. Tats —5A **30**
Approach, The. Orp —6J **17**
April Clo. Orp —2J **23**
April Glen. SE23 —1J **5**
Apsley Rd. SE25 —1G **13**
Aragon Clo. Brom —5C **16**
Aragon Clo. New Ad —6F **21**
Arbor Clo. Beck —6C **6**
Arbrook Clo. Orp —7K **9**
Archer Rd. SE25 —1G **13**
Archer Rd. Orp —2K **17**
Archers Ct. Brom —1J **15**
Archery Rd. SE9 —2E **2**
Arcus Rd. Brom —3F **7**
Arden Gro. Orp —1E **22**
Ardent Clo. SE25 —7D **4**
Ardley Clo. SE6 —1K **5**
Arkell Gro. SE19 —4A **4**
Arkindale Rd. SE6 —1D **6**
Arlington Clo. Sidc —4K **3**
Arne Gro. Orp —7J **17**

Arnhem Dri. New Ad —7E 20
Arnulf St. SE6 —1C 6
Arnulls Rd. SW16 —3A 4
Arragon Gdns. W Wick
—7C 14
Arrol Rd. Beck —7H 5
Arsenal Rd. SE9 —1E 2
Arthur Rd. Big H —4E 26
Artington Clo. Orp —1F 23
Arun Ct. SE25 —2F 13
Arundel Clo. Croy —7A 12
Arundel Ct. Short —6F 7
Arundel Dri. Orp —2A 24
Arundel Rd. Croy —3C 12
Aschurch Rd. Croy —4E 12
Ascot Rd. Orp —1J 17
Ashbourne Rise. Orp —1H 23
Ashburnham Ct. Beck —6D 6
Ashburton Av. Croy —5G 13
Ashburton Clo. Croy —5F 13
Ashburton Gdns. Croy
—6F 13
Ashburton Memorial Homes.
Croy —4G 13
Ashburton Rd. Croy —6F 13
Ashby Wlk. Croy —3B 12
Ash Clo. SE20 —6H 5
Ash Clo. Orp —2G 17
Ash Clo. Sidc —1A 10
Ash Clo. Swan —6H 11
Ashdale Rd. SE12 —5A 2
Ashdown Clo. Beck —6C 6
Ashfield Rd. Beck —4B 6
Ashfield La. Chst —3E 8
(in three parts)
Ash Gro. SE20 —6H 5
Ash Gro. W Wick —6D 14
Ashgrove Rd. Brom —3E 6
Ashleigh Rd. SE20 —7G 5
Ashley Gdns. Orp —2H 23
Ashling Rd. Croy —5F 13
Ashmead Ga. Brom —5K 7
Ashmere Av. Beck —6E 6
Ashmore La. Kes —7K 21
Ash Rd. Croy —6B 14
Ash Rd. Orp —4J 23
Ash Rd. W'ham —7J 31
Ash Row. Brom —4D 16
Ashtree Clo. Croy —3K 13
Ashtree Clo. Orp —1E 22
Ash Tree Way. Croy —2J 13
Ashurst Clo. SE20 —5G 5
Ashurst Wlk. Croy —6G 13
Ashwater Rd. SE12 —5A 2
Ashwood Gdns. New Ad
—3C 20
Aspen Clo. Orp —2K 23
Aspen Clo. Swan —5J 11
Aspen Copse. Brom —6C 8
Aston Clo. Sidc —1K 9
Atkins Dri. W Wick —6E 14
Atkinson Clo. Orp —2K 23
Atterbury Clo. W'ham —7J 31
Aubyn Hill. SE27 —1B 4
Auckland Clo. SE19 —5E 4
Auckland Gdns. SE19 —5D 4
Auckland Hill. SE27 —1B 4
Auckland Rise. SE19 —5D 4
Auckland Rd. SE19 —5E 4
Audley Wlk. Orp —3B 18
Audrey Clo. Beck —3C 14
Augustine Rd. Orp —7C 10
Augustus La. Orp —6K 17
Austin Av. Brom —2B 16
Austin Rd. Orp —3K 17
Avalon Clo. Orp —7C 18
Avalon Rd. Orp —6B 18
Avard Gdns. Orp —1F 23
Avebury Rd. Orp —7G 17
Avenue Gdns. SE25 —6F 5
Avenue Rd. SE20 & Beck
—5H 5
Avenue Rd. SE25 —6E 4
Avenue Rd. Tats —2D 30
Avenue, The. SE9 —3E 2
Avenue, The. Beck —5C 6

Avenue, The. Brom —7A 8
Avenue, The. Croy —7D 12
Avenue, The. Kes —7A 16
Avenue, The. Orp —6J 17
Avenue, The. St P —5A 10
Avenue, The. W'ham —5F 31
Avenue, The. W'ham —4F 15
Averil Gro. SW16 —3A 4
Avery Hill Rd. SE9 —3J 3
Aviemore Clo. Beck —2A 14
Aviemore Way. Beck —2K 13
Avington Gro. SE20 —4H 5
Avondale Rd. SE9 —6D 2
Avondale Rd. Brom —3G 7
Axtaine Rd. Orp —4C 18
Aycliffe Clo. Brom —1C 16
Aylesbury Rd. Brom —7H 7
Aylesford Av. Beck —2K 13
Aylesham Rd. Orp —1G 17
Aylett Rd. SE25 —1G 13
Aynscombe Angle. Orp
—4K 17
Azalea Dri. Swan —1J 19

Babbacombe Rd. Brom
—5H 7
Back Rd. Sidc —1K 9
Badgers Copse. Orp —6J 17
Badgers Croft. SE9 —7F 3
Badgers Hole. Croy —7J 13
Badger's Rise. Badg M
—6F 25
Badgers Rd. Badg M —6G 25
Bailey Pl. SE26 —3J 5
Baird Gdns. SE19 —1D 4
Bakers Ct. SE25 —7D 4
Bakers M. Grn St —3J 23
Balcaskie Rd. SE9 —2E 2
Balder Rise. SE12 —6A 2
Balfour Rd. SE25 —1F 13
Balfour Rd. Brom —2A 16
Balgowan Rd. Beck —6K 5
Ballamore Rd. Brom —1H 7
Balmoral Av. Beck —1K 13
Balmoral Ct. SE12 —1J 7
Balmoral Ct. SE27 —1B 4
Bamford Rd. Brom —2D 6
Bampton Rd. SE23 —1J 5
Banavie Gdns. Beck —5D 6
Bancroft Gdns. Orp —5J 17
Bankfoot Rd. Brom —1F 7
Bankside Clo. Bex —1J 11
Bankside Clo. Big H —7E 26
Bankside Rd. SE19 —3D 4
Bannister Gdns. Orp —7B 10
Bapchild Pl. Orp —1B 18
Barclay Rd. Croy —7C 12
Barcombe Clo. Orp —7K 9
Bardolph Av. Croy —5A 20
Bardsley Clo. Croy —7E 12
Barfield Rd. Brom —7D 8
Barfreston Way. SE20 —5G 5
Bargrove Clo. SE20 —4F 5
Barham Clo. Brom —5B 16
Barham Clo. Chst —2E 8
Barham Rd. Chst —2E 8
Baring Clo. SE12 —6A 2
Baring Rd. SE12 —6A 2
Baring Rd. Croy —5F 13
Bark Hart Rd. Orp —5A 18
Barmouth Rd. Croy —6J 13
Barnard Clo. Chst —5G 9
Barnesdale Cres. Orp
—3K 17
Barnet Dri. Brom —6B 16
Barnet Wood Rd. Brom
—6K 15
Barnfield Av. Croy —6H 13
Barnfield Clo. Swan —4H 19
Barnfield Rd. Orp —7C 10
Barnfield Rd. SE18 —2C 30
Barnfield Wood Clo. Beck
—3E 14
Barnfield Wood Rd. Beck
—3E 14

Barnhill Av. Brom —2G 15
Barnmead Rd. Beck —5J 5
Baron's Wlk. Croy —3K 13
Barry Clo. Orp —7H 17
Barson Clo. SE20 —4H 5
Bartholomew Way. Swan
—7K 11
Barton Rd. Sidc —3D 10
Barwood Av. W Wick —5C 14
Basil Gdns. Croy —5J 13
Basket Gdns. SE9 —2D 2
Bassett's Clo. Orp —1E 22
Bassett's Way. Orp —1E 22
Baston Mnr. Rd. Brom
—7J 15
Baston Rd. Brom —6J 15
Batchwood Grn. Orp —7K 9
Baths Rd. Brom —1A 16
Battenberg Wlk. SE19 —3D 4
Baugh Rd. Sidc —2B 10
Baydon Ct. Short —7G 7
Bayes Clo. SE26 —2H 5
Bayfield Rd. SE9 —1C 2
Bay Tree Clo. Brom —5A 8
Beachborough Rd. Brom
—1D 6
Beaconsfield Pde. SE9 —1B 8
Beaconsfield Rd. SE9 —6D 2
Beaconsfield Rd. Brom
—7A 8
Beaconsfield Rd. Croy
—3C 12
Beadman Pl. SE27 —1A 4
Beadman St. SE27 —1A 4
Beadon Rd. Brom —1H 15
Beagles Clo. Orp —6C 18
Beamish Rd. Orp —4B 18
Beanshaw. SE9 —1D 8
Beardell St. SE19 —3E 4
Bearsted Ter. Beck —5B 6
Beauchamp Rd. SE19 —5C 4
Beaulieu Av. SE26 —1G 5
Beaumanor Gdns. SE9 —1D 8
Beaumont Rd. SE19 —3E 4
Beaumont Rd. Orp —3G 17
Beaverbank Rd. SE9 —5J 3
Beaver Clo. SE20 —4F 5
Beaver Ct. Beck —4C 6
Beavers Lodge. Sidc —1J 9
Beaverwood Rd. Chst —2H 9
Beblets Clo. Orp —2J 23
Beckenham Bus. Cen. Beck
—3K 5
Beckenham Grn. Orp —5J 9
Beckenham Hill Est. Beck
—2C 6
Beckenham Hill Rd. Beck &
SE6 —3C 6
Beckenham La. Brom —6F 7
Beckenham Pl. Pk. Beck
—4C 6
Beckenham Rd. Beck —5J 5
Beckenham Rd. W Wick
—4D 14
Becket Clo. SE25 —3F 13
Becketts Clo. Orp —7J 17
Beckford Dri. Orp —4G 17
Beckford Rd. Croy —6E 12
Beck La. Beck —7J 5
Beck River Pk. Beck —5B 6
Beck Way. Beck —7A 6
Becondale Rd. SE19 —2D 4
Beddington Grn. Orp —5J 9
Beddington Path. St P —5J 9
Beddington Rd. Orp —5H 9
Beddlestead La. Warl —6B 28
Bedens Rd. Sidc —3D 10
Bedford Pk. Croy —5B 12
Bedford Pl. Croy —5C 12
Bedford Rd. Orp —6A 18
Bedford Rd. Sidc —2K 9
Bedgebury Rd. SE9 —1C 2
Bedivere Rd. Brom —1J 7
Bedser Clo. T Hth —7B 4
Bedwardine Rd. SE19 —4D 4

Beech Av. Tats —1C 30
Beech Copse. Brom —6C 8
Beech Ct. Beck —4A 6
Beechcroft. Chst —4D 8
Beechcroft Clo. Orp —1G 23
Beechcroft Rd. Orp —1G 23
Beech Dell. Kes —1C 22
Beeches Clo. SE20 —5H 5
Beechfield Cotts. Brom
—6K 7
Beechfield Rd. Brom —6K 7
Beech Ho. Rd. Croy —7C 12
Beechill Rd. SE9 —2F 3
Beechmont Clo. Brom —2F 7
Beech Rd. Big H —1A 30
Beech Rd. Orp —4K 23
Beechwood Av. Orp —3H 23
Beechwood Av. T Hth —1A 12
Beechwood Ct. SE19 —2E 4
Beechwood Dri. Kes —1A 22
Beechwood Rise. Chst —1E 8
Beechwoods Ct. SE19 —2E 4
Beeken Dene. Orp —1F 23
Beggars La. W'ham —7J 31
Belcroft Clo. Brom —4G 7
Beldam Haw. Hals —7F 25
Belfast Rd. SE25 —1G 13
Belgrave Clo. Orp —1B 18
Belgrave Rd. SE25 —1E 12
Belgravia Gdns. Brom —3F 7
Bellefield Rd. Orp —2A 18
Bellevue Pk. T Hth —7B 4
Belle Vue Rd. Orp —6D 22
Bellfield. Croy —5A 20
Bell Gdns. Orp —2B 18
Bell Grn. SE26 —1A 6
Bell Grn. La. SE26 —2A 6
Bell Hill. Croy —6B 12
Bellingham Grn. SE6 —1B 6
Bell Meadow. SE19 —2D 4
Belmont La. Chst —2F 9
(in two parts)
Belmont Pde. Chst —2F 9
Belmont Rd. SE25 —2G 13
Belmont Rd. Beck —6A 6
Belmont Rd. Chst —2E 8
Belton Rd. Sidc —1K 9
Belvedere Rd. SE19 —4E 4
Belvedere Rd. Big H —7H 27
Belvoir Clo. SE9 —7D 2
Benbury Clo. Brom —2D 6
Bencurtis Pk. W Wick
—7E 14
Benedict Clo. Orp —7H 17
Benenden Grn. Brom —2H 15
Bennetts Av. Croy —6K 13
Bennetts Copse. Chst —3B 8
Bensham Clo. T Hth —1B 12
Bensham Gro. T Hth —6B 4
Bensham La. T Hth & Croy
—2A 12
Bensham Mnr. Rd. T Hth
—1B 12
Benson Rd. Croy —7A 12
Bentfield Gdns. SE9 —7C 2
Bentons La. SE27 —1B 4
Bentons Rise. SE27 —2C 4
Bercta Rd. SE9 —6H 3
Berens Rd. Orp —2C 18
Berens Way. Chst —2J 9
Beresford Dri. Brom —7B 8
Berger Clo. Orp —3G 17
Berkeley Clo. Orp —4H 17
Berkeley Ct. Swan —1K 19
Bernel Dri. Croy —7A 14
Berne Rd. T Hth —2B 12
Berney Ho. Beck —2K 13
Berney Rd. Croy —4C 12
Berridge Rd. SE19 —2C 4
Berryfield Clo. Brom —5B 8
Berryhill. SE9 —1G 3
Berryhill Gdns. SE9 —1G 3
Berrylands. Orp —7B 18
Berry La. SE21 —1C 4
Berryman's La. SE26 —1J 5

Berry's Grn. Rd. Berr G
—5K 27
Berry's Hill. Berr G —4K 27
Bertie Rd. SE26 —3J 5
Bert Rd. T Hth —2B 12
Berwick Cres. Sidc —3K 3
Berwick Way. Orp —5K 17
Best Ter. Swan —2H 19
Betchworth Way. New Ad
—5D 20
Bethersden Clo. Beck —4A 6
Betony Clo. Croy —5J 13
Betts Clo. Beck —6K 5
Betts Way. SE20 —5G 5
Beulah Av. T Hth —6B 4
Beulah Cres. T Hth —6B 4
Beulah Gro. Croy —3B 12
Beulah Hill. SE19 —3A 4
Beulah Rd. T Hth —7B 4
Bevan Pl. Swan —1K 19
Beverley Av. Sidc —4K 3
Beverley Rd. SE20 —6G 5
Beverley Rd. Brom —6B 16
Beverstone Rd. T Hth
—1A 12
Bevington Rd. Beck —6C 6
Bewlys Rd. SE27 —2A 4
Bexley La. Sidc —1B 10
Bexley Rd. SE9 —2G 3
Bickley Cres. Brom —1B 16
Bickley Pk. Rd. Brom —7B 8
Bickley Rd. Brom —6A 8
Bicknor Rd. Orp —4H 17
Bidborough Clo. Brom
—2G 15
Biddenden Way. SE9 —1D 8
Bideford Rd. Brom —1G 7
Biggin Hill. SE19 —4A 4
Biggin Hill Bus. Pk. Big H
—4F 27
Biggin Hill Civil Airport. Big H
—2F 27
Biggin Way. SE19 —4A 4
Bigginwood Rd. SW16 —4A 4
Bill Hamling Clo. SE9 —6E 2
Bilsby Gro. SE9 —1A 8
Bingham Rd. Croy —5F 13
Birbetts Rd. SE9 —6E 2
Birchanger Rd. SE25 —2F 13
Birches, The. Orp —1D 22
Birches, The. Swan —6K 11
Birchington Clo. Orp —5B 18
Birchmead. Orp —6D 16
Birch Row. Brom —4D 16
Birch Tree Av. W Wick
—2G 21
Birch Tree Way. Croy —6G 13
Birchwood Av. Beck —1A 14
Birchwood Av. Sidc —1A 16
Birchwood Dri. Dart —1K 11
Birchwood Pde. Wilm
—1K 11
Birchwood Pk. Av. Swan
—7K 11
Birchwood Rd. Orp —1G 17
Birchwood Rd. Swan & Dart
—5H 11
Birdbrook Rd. SE3 —1B 2
Birdham Clo. Brom —2B 16
Birdhouse La. Orp —4H 27
Birdhurst Av. S Croy —7C 12
Bird in Hand La. Brom
—6A 8
Birkbeck Rd. Beck —6H 5
Birkbeck Rd. Sidc —1K 9
Birkdale Clo. Orp —4G 17
Birkdale Gdns. Croy —7J 13
Bisenden Rd. Croy —6D 12
Bishop Butt Clo. Orp —7J 17
Bishops Av. Brom —6K 7
Bishop's Clo. SE9 —6H 3
Bishops Grn. Brom —5K 7
(off Up. Park Rd.)
Bishop's Rd. Croy —4A 12
Bishopsthorpe Rd. SE26
—1J 5

Bishops Wlk. Chst —5F **9**
Bishops Wlk. Croy —2A **20**
Blackbrook La. Brom —2D **16**
Blackfen Rd. Sidc —2K **3**
Black Horse La. Croy —4F **13**
Blackhorse Rd. Sidc —1K **9**
Blacklands SE6 —1D **6**
Blackman's La. Warl —3A **24**
Blackness La. Kes —4A **22**
Blacksmith's La. Orp —2B **18**
Blackthorne Av. Croy —5H **13**
Blackthorn Rd. Big H —5F **27**
Blair Clo. SE9 —2K **3**
Blair Ct. Beck —5C **6**
Blakeney Av. Beck —5A **6**
Blakeney Rd. Beck —4A **6**
Blake Rd. Croy —6D **12**
Blake's Grn. W Wick —5D **14**
Blanchard Clo. SE9 —7D **2**
Blandford Av. Beck —6K **5**
Blandford Rd. Beck —6H **5**
Bland St. SE9 —1C **2**
Blanmerle Rd. SE9 —5G **3**
Blann Clo. SE9 —3C **2**
Blean Gro. SE20 —4H **5**
Blendon Path. Brom —4G **7**
Blenheim Ct. Sidc —7J **3**
Blenheim Rd. SE20 —4H **5**
Blenheim Rd. Brom —1B **16**
Blenheim Rd. Orp —6B **18**
Blenheim Shopping Cen.
SE20 —4H **5**
Bletchingley Clo. T Hth
—1A **12**
Bloomfield Rd. Brom —2A **16**
Bloomfield Ter. W'ham
—7K **31**
Bloom Gro. SE27 —1A **4**
Bloomhall Rd. SE19 —2C **4**
Bloxham Gdns. SE9 —2D **2**
Bluebell Clo. SE26 —1E **4**
Bluebell Clo. Orp —6F **17**
Blueberry La. Knock —5G **29**
Blue Riband Ind. Est. Croy
—6A **12**
Blunts Rd. SE9 —2F **3**
Blythe Hill. Orp —5J **9**
Blyth Rd. Brom —5G **7**
Blyth Wood Pk. Brom —5G **7**
Bogey La. Orp —4D **22**
Bolderwood Way. W Wick
—6C **14**
Boleyn Gdns. W Wick
—6C **14**
Boleyn Gro. W Wick —6D **14**
Bolton Clo. SE20 —6F **5**
Bolton Gdns. Brom —3G **7**
Bombers La. W'ham —1J **31**
Bonar Pl. Chst —4B **8**
Bonchester Clo. Chst —4D **8**
Bond Clo. Knock —4H **29**
Bond St. Knock —4J **29**
Bon Marche Ter. SE27 —1D **4**
Bonney Way. Swan —6K **11**
Bonville Rd. Brom —2G **7**
Booth Rd. Croy —6A **12**
Border Cres. SE26 —2G **5**
Border Gdns. Croy —1C **20**
Border Rd. SE26 —2G **5**
Borkwood Pk. Orp —1J **23**
Borkwood Way. Orp —1H **23**
Borough Hill. Croy —7A **12**
Borough Rd. Tats —3C **30**
Bosbury Rd. SE6 —1D **6**
Bosco Clo. Orp —1J **23**
Bostall Rd. Orp —4A **10**
Boswell Clo. Orp —3B **18**
Boswell Rd. T Hth —1B **12**
Botany Bay La. Chst —6F **9**
Bothwell Rd. New Ad —6D **20**
Boughton Av. Brom —4G **15**
Boulogne Rd. Croy —3B **12**
Boundary Clo. SE20 —6F **5**
Boundary Rd. Sidc —2K **3**
Boundary Way. Croy —2B **20**
Bourbon Ho. SE6 —2D **6**

Bourdon Rd. SE20 —6H **5**
Bourne Rd. Brom —1A **16**
Bourneside Gdns. SE6 —2D **6**
Bourne St. Croy —6A **12**
Bourne Vale. Brom —5G **15**
Bourne Way. Brom —6G **15**
Bourne Way. Swan —7H **11**
Bournewood Rd. Orp —4B **18**
Bowen Dri. SE21 —1D **4**
Bowens Wood. Croy —5A **20**
Bowers Rd. Shor —7K **25**
Bowley Clo. SE19 —3E **4**
Bowley La. SE19 —2E **4**
Bowmead. SE9 —6E **2**
Box Tree Wlk. Orp —5C **18**
Boyland Rd. Brom —2G **7**
Brabourne Clo. SE19 —2D **4**
Brabourne Rise. Beck
—2D **14**
Bracewood Gdns. Croy
—7E **12**
Bracken Av. Croy —7C **14**
Brackendene. Dart —1K **11**
Bracken Hill Clo. Brom —5G **7**
Bracken Hill La. Brom —5G **7**
Brackens. Beck —4B **6**
Brackens, The. Orp —2K **23**
Brackley Rd. Beck —4A **6**
Bradford Clo. Brom —5C **16**
Bradford Clo. SE26 —1G **5**
Bradley Rd. SE19 —3B **4**
Bradshaws Clo. SE25 —7F **5**
Braemar Av. T Hth —7A **4**
Braemar Gdns. Sidc —7J **3**
Braemar Gdns. W Wick
—5D **14**
Braeside. Beck —2B **6**
Brafferton Rd. Croy —7B **12**
Bramble La. Croy —1B **20**
Brambledown Clo. W Wick
—2F **15**
Bramerton Rd. Beck —7B **12**
Bramley Clo. Orp —5E **16**
Bramley Clo. Swan —1K **19**
Bramley Way. W Wick
—6C **14**
Brampton Rd. Croy —3E **12**
Brangbourne Rd. Brom
—2D **6**
Branscombe Ct. Brom
—2G **15**
Bransell Clo. Swan —3H **19**
Branston Cres. Orp —5G **17**
Brantwood Way. Orp —7B **10**
Brasted Clo. SE26 —1H **5**
Brasted Clo. Orp —6K **17**
Brasted La. Knock —7E **28**
Brasted Lodge. SE20 —4B **6**
Bratten Ct. Croy —3C **12**
Braundton Av. Sidc —5K **3**
Braybrooke Gdns. SE19
—4E **4**
Braywood Rd. SE9 —1J **3**
Breakspears Dri. Orp —5K **9**
Breckonmead. Brom —6K **7**
Bredhurst Clo. SE20 —3H **5**
Bredon Rd. Croy —4E **12**
Brenchley Clo. Brom —3G **15**
Brenchley Clo. Chst —5D **8**
Brenchley Rd. Orp —6J **9**
Brendon Rd. SE9 —6J **3**
Brenley Gdns. SE9 —1C **2**
Brentwood Clo. SE9 —5H **3**
Brewery Rd. Brom —5B **16**
Briar Gdns. Brom —5G **15**
Briar La. Croy —1C **20**
Briar Rd. Bex —1J **11**
Briarswood Way. Orp —2J **23**
Briary Ct. Sidc —2A **10**
Briary Gdns. Brom —2J **7**
Briary Lodge. Beck —5D **6**
Brickfield Farm Gdns. Orp
—1F **23**
Brickfield Rd. T Hth —5A **4**
Brickwood Clo. SE26 —1G **5**
Brickwood Rd. Croy —6D **12**

Bridge Pl. Croy —5C **12**
Bridge Rd. Beck —4A **6**
Bridge Rd. Orp —3A **18**
Bridge Row. Croy —5C **12**
Bridgetown Clo. SE19 —2D **4**
Bridgewater Clo. Chst —7H **9**
Bridgewood Clo. SE20 —4G **5**
Bridle Rd. Croy —7B **14**
(in two parts)
Bridle Way. Croy —1B **20**
Bridle Way. Orp —1F **23**
Bridle Way, The. Croy
—6A **20**
Bridlington Clo. Big H
—1A **30**
Bridport Rd. T Hth —7A **4**
Brierley. New Ad —3C **20**
(in two parts)
Brierley Clo. SE25 —1F **13**
Brigstock Rd. T Hth —2A **12**
Brimstone Clo. Orp —4B **24**
Brindle Ga. Sidc —5K **3**
Brindley Way. Brom —2H **7**
Briset Rd. SE9 —1C **2**
Bristow Rd. SE19 —2D **4**
Brittain Ho. SE9 —5D **2**
Brittenden Clo. Orp —3J **23**
Brittenden Pde. Grn St
—3J **23**
Broadcroft Rd. Orp —4G **17**
Broad Grn. Av. Croy —4A **12**
Broadheath Dri. Chst —2C **8**
Broadlands Rd. Brom —1J **7**
Broad Lawn. SE9 —6F **3**
Broad Oak Clo. Orp —6K **9**
Broadoaks Way. Brom
—2G **15**
Broad Wlk. Orp —7C **18**
Broadwater Gdns. Orp
—1E **22**
Broadway. Swan —3J **19**
Broadway. Croy —2C **12**
Broadway Ct. Beck —7D **6**
Brockenhurst Rd. Croy
—4G **13**
Brockham Cres. New Ad
—4E **20**
Brocklesby Rd. SE25 —1G **13**
Brockman Rise. Brom —1E **6**
Brockwell Clo. Orp —2J **17**
Brograve Gdns. Beck —6C **6**
Broke Farm Dri. Orp —5B **24**
Brome Rd. SE9 —1E **2**
Bromhedge. SE9 —7E **2**
Bromley Comn. Brom
—1K **15**
Bromley Cres. Brom —7G **7**
Bromley Gdns. Brom —7G **7**
Bromley Gro. Brom —6E **6**
Bromley Hill. Brom —3F **7**
Bromley La. Chst —4F **9**
Bromley Pk. Brom —5G **7**
Bromley Rd. SE6 & Brom
—1D **6**
Bromley Rd. Beck & Brom
—5C **6**
Bromley Rd. Chst —5E **8**
Brompton Clo. SE20 —6F **5**
Brookehowse Rd. SE6 —1C **6**
Brookend Rd. Sidc —5K **3**
Brooklands Av. Sidc —6J **3**
Brooklands Pk. SE3 —1A **2**
Brook La. Brom —3H **7**
Brooklyn Av. SE25 —1G **13**
Brooklyn Gro. SE25 —1G **13**
Brooklyn Rd. SE25 —1G **13**
Brooklyn Rd. Brom —2A **16**
Brookmead Av. Brom —2C **16**
Brookmead Clo. Orp —3A **18**
Brookmead Way. Orp
—3A **18**
Brook Rd. Swan —7J **11**
Brook Rd. T Hth —1B **12**
Brooks Clo. SE9 —6F **3**
Brookscroft. Croy —6A **20**

Brookside. Orp —4J **17**
Brookside Way. Croy —3J **13**
Brooks Way. St P —6B **10**
Brookwood Clo. Brom
—1G **15**
Broom Av. Orp —6A **10**
Broom Clo. Brom —3B **16**
Broomfield Rd. Beck —7A **6**
Broom Gdns. Croy —7B **14**
Broomhill Rd. Orp —4K **17**
Broom Rd. Croy —7B **14**
Broomsleigh Bus. Pk. SE26
—2A **6**
Broomwood Rd. Orp —6A **10**
Broseley Gro. SE26 —2K **5**
Broster Gdns. SE25 —7E **4**
Broughton Rd. Orp —6G **17**
Broughton Rd. T Hth —2A **12**
Brow Clo. Orp —4C **18**
Brow Cres. Orp —5B **18**
Brownlow Rd. Croy —7D **12**
Brownspring Dri. SE9 —1E **8**
Broxbourne Rd. Orp —5J **17**
Bruce Ct. Sidc —1J **9**
Bruce Gro. Orp —5K **17**
Bruce Rd. SE25 —1C **12**
Brunel Clo. SE19 —3E **4**
Brunner Ho. SE6 —1D **6**
Brunswick Pl. SE19 —3E **4**
Bruton Clo. Chst —4C **8**
Bryden Clo. SE26 —2K **5**
Buckhurst Rd. W'ham
—3F **31**
Buckingham Av. T Hth —5A **4**
Buckingham Av. Well —1K **3**
Buckingham Clo. Orp —4H **17**
Buckingham Dri. Chst —2F **9**
Buckingham Gdns. T Hth
—6A **4**
Buckland Rd. Orp —1H **23**
Buckleigh Way. SE19 —4E **4**
Buckler Gdns. SE9 —7E **2**
Bucks Cross Rd. Orp —2C **18**
Budgin's Hill. Prat B —1G **29**
Bulganak Rd. T Hth —1B **12**
Buller Rd. T Hth —6C **4**
Bullers Clo. Sidc —2D **10**
Bullers Wood Dri. Chst
—4C **8**
Bull La. Chst —4G **9**
Bungalow Rd. SE25 —1D **12**
Bunkers Hill. Sidc —1E **10**
Burdett Clo. Sidc —2D **10**
Burdett Rd. Croy —3C **12**
Burdock Clo. Croy —5J **13**
Burford Rd. Brom —1B **16**
Burford Way. New Ad
—3D **20**
Burghill Rd. SE26 —1K **5**
Burgoyne Rd. SE25 —1E **12**
Burham Clo. SE20 —4H **5**
Burlings La. Knock —6D **28**
Burlington Clo. Orp —6E **16**
Burlington Rd. T Hth —6B **4**
Burmarsh. SE20 —5H **5**
Burma Ter. SE19 —2D **4**
Burnage Ct. SE26 —1G **5**
Burnham Gdns. Croy —4E **12**
Burnham Way. SE26 —2A **6**
Burnhill Rd. Beck —6B **6**
Burnings La. Knock —6D **28**
Burnt Ash Hill. SE12 —5A **2**
Burnt Ash La. Brom —4H **7**
Burntwood View. SE19
—2E **4**
Burrell Clo. Croy —3K **13**
Burrell Row. Beck —6B **6**
Burrfield Dri. Orp —2C **18**
Bursdon Clo. Sidc —6K **3**
Burton Ct. Beck —6H **5**
Burtwell La. SE27 —1C **4**
Burwash Ct. St M —2B **18**
Burwood Av. Brom —6J **15**
Bushell Way. Chst —2D **8**
Bushey Av. Orp —4G **17**

Bushey Rd. Croy —6B **14**
Bushey Way. Beck —3E **14**
Bute Rd. Croy —5A **12**
Butterfly La. SE9 —3G **3**
Buttermere Rd. Orp —1C **18**
Butts Rd. Brom —2F **7**
Buxton Rd. T Hth —2A **12**
Bycroft St. SE20 —4J **5**
Bygrove. New Ad —3B **20**
Byne Rd. SE26 —3H **5**
Byron Clo. SE20 —7G **5**
Byron Clo. SE26 —2K **5**
Bywood Av. Croy —3H **13**

Cacket's La. Cud —4B **28**
Cadlocks Hill. Hals —6E **24**
Cadogan Clo. Beck —5E **6**
Cadwallon Rd. SE9 —6G **3**
Caerleon Clo. Sidc —2B **10**
Cairndale Clo. Brom —4G **7**
Cairo New Rd. Croy —6A **12**
Caithness Gdns. Sidc —3K **3**
Calcott Wlk. SE9 —1B **8**
Calley Down Cres. New Ad
—6E **20**
Calmont Rd. Brom —3E **6**
Calverley Clo. Beck —3C **6**
Calvert Clo. Sidc —3D **10**
Calvin Clo. Orp —7C **10**
Cambert Way. SE3 —1A **2**
Camborne Rd. Croy —4F **13**
Camborne Rd. Sidc —1B **10**
Cambray Rd. Orp —4J **17**
Cambria Clo. Sidc —5J **3**
Cambridge Av. Well —1K **3**
Cambridge Dri. SE12 —3A **2**
Cambridge Grn. SE9 —5G **3**
Cambridge Gro. SE20 —5G **5**
Cambridge Rd. SE20 —7G **5**
Cambridge Rd. Brom —4H **7**
Cambridge Rd. Sidc —1H **9**
Camden Clo. Chst —5F **9**
Camden Gdns. T Hth —7A **4**
Camden Gro. Chst —3E **8**
Camden Hill Rd. SE19 —3D **4**
Camden Pk. Rd. Chst —4C **8**
Camden Way. Chst —4C **8**
Camden Way. T Hth —7A **4**
Camelot Clo. Big H —5E **26**
Cameron Clo. Bex —1K **11**
Cameron Rd. Brom —2H **15**
Cameron Rd. Croy —3A **12**
Cameron Ter. SE12 —7A **2**
Camille Clo. SE25 —7F **5**
Camlan Rd. Brom —1G **7**
Campbell Rd. Croy —4A **12**
Campfield Rd. SE9 —4C **2**
Camrose Clo. Croy —4K **13**
Canal Wlk. SE26 —2H **5**
Canal Wlk. Croy —3E **12**
Canbury M. SE26 —1F **5**
Canbury Path. Orp —1K **17**
Canham Rd. SE25 —7D **4**
Canning Rd. Croy —6E **12**
Canon Rd. Brom —7K **7**
Canon's Wlk. Croy —7J **13**
Canterbury Clo. Beck —5C **6**
Canterbury Ct. SE12 —7A **2**
Canterbury Gro. SE27 —1A **4**
Cantley Gdns. SE19 —5E **4**
Capel Clo. Brom —5B **16**
Capel Clo. SE20 —5H **5**
Capri Rd. Croy —5E **12**
Capstone Rd. Brom —1G **7**
Carberry Rd. SE19 —3D **4**
Cardinal Clo. Chst —5H **9**
Carew Rd. T Hth —1A **12**
Cargreen Pl. SE25 —1E **12**
Cargreen Rd. SE25 —1E **12**
Carina M. SE27 —1B **4**
Carisbrooke Rd. Brom
—1K **15**
Carlton Clo. SE20 —5G **5**
Carlton Pde. Croy —4A **18**
Carlton Rd. Sidc —2J **9**

Carlton Ter. SE26 —1H 5
Carlyle Av. Brom —7A 8
Carlyle Rd. Croy —6F 13
Carmichael Rd. SE9 —
Carnac St. SE27 —1C 4
Carnecke Gdns. SE9 —2D 2
Carolina Rd. T Hth —6A 4
Carolyn Dri. Orp —7K 17
Carrington Clo. Croy —4K 13
Carstairs Rd. SE6 —1D 6
Carters Hill Clo. SE9 —5B 2
Cascade Clo. Orp —7B 10
Cascades. Croy —6A 20
Casewick Rd. SE27 —2A 4
Cassland Rd. T Hth —1C 12
Casterbridge Rd. SE3 —1A 2
Castle Clo. Brom —7F 7
Castlecombe Rd. SE9 —1B 8
Castle Ct. SE26 —1K 5
Castledine Rd. SE6 —5F 5
Castleford Av. SE9 —5G 3
Castle Hill Av. New Ad
—5C 20
Castleton Rd. SE9 —1A 8
Cathcart Dri. Orp —6H 17
Catling St. SE23 —1H 5
Cator Clo. New Ad —7F 21
Cator Cres. New Ad —7F 21
Cator La. Beck —5A 6
Cator Rd. SE26 —3J 5
Cattistock Rd. SE9 —2C 8
Cattistock Rd. SE12 —2B 8
Cavendish Rd. Croy —5A 12
Cavendish Way. W Wick
—5C 14
Caveside Clo. Chst —5D 8
Cawnpore St. SE19 —2D 4
Caygill Clo. Brom —1G 15
Cecil Way. Brom —5H 15
Cedar Clo. Brom —7B 16
Cedar Clo. Swan —6H 11
Cedar Copse. Brom —6C 8
Cedar Cres. Kes —1K 21
Cedarhurst. Brom —4F 7
Cedarhurst Dri. SE9 —2B 2
Cedar Mt. SE9 —5C 2
Cedar Rd. Brom —6K 7
Cedar Rd. Croy —6D 12
Cedars Rd. Beck —6K 5
Cedar Tree Gro. SE27 —2A 4
Cedric Rd. SE9 —7H 3
Celtic Av. Brom —7F 7
Central Hill. SE19 —3C 4
Central Pde. SE20 —4J 5
(off High St. Penge)
Central Pde. New Ad —6D 20
Central Ter. Beck —7J 5
Centre Comn. Rd. Chst
—3F 9
Chadd Dri. Brom —7H 7
Chaffinch Av. Croy —3J 13
Chaffinch Clo. Croy —2J 13
Chaffinch Rd. Beck —5K 5
Chaldon Ct. SE19 —5C 4
Chalet Clo. Bex —1J 11
Chalfont Rd. SE25 —7E 4
Chalford Rd. SE21 —1C 4
Chalkenden Clo. SE20 —4G 5
Chalk Pit Av. Orp —7B 10
Chalk Pit Caravan Site. Sidc
—4E 10
Challin St. SE20 —5H 5
Challock Clo. Big H —5E 26
Chamberlain Cres. W Wick
—5C 14
Champion Cres. SE26 —1K 5
Champion Rd. SE26 —1K 5
Champness Clo. SE27 —1C 4
Chancery La. Beck —6C 6
Chanctonbury Clo. SE9
—7G 3
Chantry Clo. Sidc —2D 10
Chantry La. Brom —6A 16
Chapel Farm Rd. SE9 —7E 2
Chapel Rd. SE27 —1A 4
Chapel Wlk. Croy —6B 12

Chapman's La. Orp —6C 10
Charing Clo. Orp —1J 23
Charing Ct. Short —6F 7
Charldane Rd. SE9 —7G 3
Charlecote Gro. SE26 —1G 5
Charles Clo. Sidc —1A 10
Charlesfield. SE9 —7B 2
Charles St. Croy —7B 12
Charleville Cir. SE26 —2F 5
Charlton Dri. Big H —6F 7
Charlwood. Croy —5A 20
Charminster Rd. SE9 —1A 8
Charmwood La. Orp —5A 24
Charnock. Swan —1K 19
Charnwood Rd. SE25
—2C 12
Charrington Rd. Croy
—6B 12
Chart Clo. Brom —5F 7
Chart Clo. Croy —3H 13
Charterhouse Rd. Orp
—7K 17
Charters Clo. SE19 —2D 4
Chartham Gro. SE27 —1A 4
Chartham Rd. SE25 —7G 5
Chartwell Clo. SE9 —6J 3
Chartwell Clo. Croy —5C 12
Chartwell Dri. Orp —2G 23
Chartwell Way. SE20 —5G 5
Chase, The. Brom —7J 7
Chatfield Rd. Croy —5A 12
Chatham Av. Brom —4G 15
Chatham Rd. Orp —2F 23
Chatsworth Av. Brom —1J 7
Chatsworth Clo. W Wick
—5G 15
Chatsworth Pde. Orp —2F 17
Chatsworth Rd. Croy —7C 12
Chatterton Rd. Brom —1A 16
Chaucer Grn. Croy —4G 13
Chaundrye Clo. SE9 —3E 2
Chelford Rd. Brom —4H 7
Chelsea Ct. Brom —1B 16
Chelsfield Gdns. SE26 —1H 5
Chelsfield Hill. Orp —6A 24
Chelsfield La. Badg M
—4F 25
Chelsfield La. Orp —4C 18
Chelsfield Rd. Orp —3B 18
Chelsham Ct. Rd. Warl
—7A 26
Chelsiter Ct. Sidc —1J 9
Cheltenham Rd. Orp —7K 17
Chenies, The. Orp —3H 17
Chepstow Rise. Croy —7D 12
Chepstow Rd. Croy —7D 12
Chequers Clo. Orp —1J 17
Cheriton Av. Brom —2G 15
Cheriton Ct. SE12 —4A 2
Cherry Av. Swan —1J 19
Cherrycot Hill. Orp —1G 23
Cherrycot Rise. Orp —1F 23
Cherry Orchard Clo. Orp
—2B 18
Cherry Orchard Gdns. Croy
—5D 12
Cherry Orchard Rd. Brom
—6B 16
Cherry Orchard Rd. Croy
—6C 12
Cherry Tree Wlk. Beck
—1A 14
Cherry Tree Wlk. Big H
—5E 26
Cherry Tree Wlk. W Wick
—1G 21
Cherry Wlk. Brom —5H 15
Chertsey Cres. New Ad
—6D 15
Chesham Av. Orp —3E 16
Chesham Cres. SE20 —5H 5
Chesham Rd. SE20 —6H 5
Chesney Cres. New Ad
—4D 20

Chessington Way. W Wick
—6C 14
Chesterfield Clo. Orp —1D 18
Chester Rd. Sidc —2K 3
Chestnut Av. Tats —4C 30
Chestnut Av. W Wick —2F 21
Chestnut Clo. SE6 —2D 6
Chestnut Clo. Orp —2K 23
Chestnut Gro. SE20 —4G 5
Chestnut Gro. Dart —2J 11
Chestnut Lodge. SE12 —7A 2
Cheston Av. Croy —6K 13
Cheveney Wlk. Brom —7H 7
Chevening La. Knock —5J 29
Chevening Rd. SE19 —3C 4
Cheviot Gdns. SE27 —1A 4
Cheviot Rd. SE27 —2A 4
Cheyne Clo. Brom —7B 16
Cheyne Wlk. Croy —6F 13
Chichele Gdns. Croy —7D 12
Chichester M. SE27 —1A 4
Chichester Rd. Croy —7D 12
Child's La. SE19 —3D 4
Chilham Rd. SE9 —1B 8
Chilham Way. Brom —4H 15
Chiltern Clo. Croy —7D 12
Chiltern Gdns. Brom —1G 15
Chinbrook Cres. SE12 —7A 2
Chinbrook Rd. SE12 —7A 2
Chingley Clo. Brom —3F 7
Chipperfield Rd. Orp —5K 9
Chipstead Av. T Hth —1A 12
Chipstead Clo. SE19 —4E 4
Chisholm Rd. Croy —6D 12
Chislehurst Rd. Brom & Chst
—6A 8
Chislehurst Rd. Orp —1H 17
Chislehurst Rd. Sidc —2K 9
Chislet Clo. Beck —4B 6
Chive Clo. Croy —5J 13
Chorleywood Cres. Orp
—6J 9
Christ Chu. Rd. Beck —6B 6
Christchurch Rd. Sidc —1J 9
Christian Fields. SW16 —4A 4
Christies Av. Badg M —6F 25
Christy Rd. Big H —4E 26
Chudleigh. Sidc —1A 10
Chulsa Rd. SE26 —2G 5
Church All. Croy —5A 12
Church App. SE21 —1C 4
Church App. Cud —4A 28
Church Av. Beck —5B 6
Church Av. Sidc —2K 9
Churchbury Rd. SE9 —4C 2
Churchdown. Brom —1F 7
Church Dri. W Wick —7H 5
Church Farm Clo. Swan
—3H 19
Churchfields Rd. Beck —6J 5
Churchill Clo. W'ham —7J 31
Churchill Way. Brom —7H 7
Church La. Brom —5B 16
Church La. Chst —5F 9
Church La. Tats —4C 30
Church La. Warl —5A 26
Church Rd. SE19 —5D 4
Church Rd. Big H —6F 27
Church Rd. Brom —6H 7
Church Rd. Chels —4B 24
Church Rd. Crock —4J 19
Church Rd. Croy —7B 12
(in two parts)
Church Rd. Hals —7D 24
Church Rd. Kes —4A 22
Church Rd. Short —5F 7
Church Rd. Sidc —1K 9
Church Row. Chst —5F 9
Church Row. M. Chst —4F 9

Churchside Clo. Big H
—6E 26
Church St. Croy —6A 12
Church View. Swan —7J 11
Chyngton Clo. Sidc —7K 3
Cinderford Way. Brom —1F 7
Cintra Pk. SE19 —4E 4
Cissbury Ho. SE26 —1F 5
Clacket La. W'ham —6D 30
Clare Corner. SE9 —4G 3
Claremont Clo. Orp —1D 22
Claremont Rd. Brom —1B 16
Claremont Rd. Croy —5F 13
Claremont Rd. Swan —4K 11
Clarence Av. Brom —1B 16
Clarence Cres. Sidc —1A 10
Clarence Rd. SE9 —6D 2
Clarence Rd. Big H —7H 27
Clarence Rd. Brom —7A 8
Clarence Rd. Croy —4C 12
Clarence Rd. Sidc —1A 10
Clarendon Clo. St P —7K 9
Clarendon Ct. Beck —5C 6
(off Albemarle Rd.)
Clarendon Grn. Orp —1K 17
Clarendon Rd. St P —1K 17
Clarendon Path. St P —1K 17
(in two parts)
Clarendon Pl. Wilm —2K 11
Clarendon Rd. Croy —6A 12
Clarendon Way. Chst & St M
—7J 9
Claret Gdns. SE25 —7D 4
Clareville Rd. Orp —6F 17
Clarks La. Hals —1K 29
Clarks La. Tats —4A 30
Claybourne M. SE19 —4D 4
Claybridge Rd. SE12 —1K 7
Clay Farm Rd. SE9 —6H 3
Claygate Cres. New Ad
—3D 20
Clayhill Cres. SE9 —1A 8
Claywood Clo. Orp —4H 17
Cleave Av. Orp —3H 23
Cleaverholme Cl. SE25
—3G 13
Cleaverholme Clo. SE25
—3G 13
Clement Rd. Beck —6J 5
Clevedon Rd. SE20 —5J 5
Cleve Rd. Sidc —1C 10
Cleves Cres. New Ad —7D 20
Clifford Av. Chst —3C 8
Clifford Rd. SE25 —1F 13
Clifton Clo. Orp —2F 23
Clifton Rd. SE25 —1D 12
Clifton Rd. Sidc —1H 9
Cliftonville Ct. SE12 —5A 2
Clive Pas. SE21 —1C 4
Clive Rd. SE21 —1C 4
Clockhouse Ct. Beck —6K 5
Clock Ho. Rd. Beck —7K 5
Cloister Gdns. SE25 —3G 13
Cloisters Av. Brom —2C 16
Cloonmore Av. Orp —1J 23
Close, The. SE25 —3F 13
Close, The. Beck —1K 13
Close, The. Berr G —5K 27
Close, The. Orp —3H 17
Close, The. Sidc —1A 10
Clovelly Gdns. SE19 —5E 4
Clovelly Way. Orp —3J 17
Cloverdale Gdns. Sidc —3K 3
Club Gdns. Rd. Hayes
—4H 15
Clyde Rd. Croy —6E 12
Coach Ho. M. SE20 —4G 5
Coates Hill Rd. Brom —6D 8
Cobbett Rd. SE9 —1D 2
Cobblestone Pl. Croy —5B 12
Cobden Ct. Brom —1K 15
Cobden Rd. SE25 —2F 13
Cobden Rd. Orp —1G 23
Cobham Clo. Brom —4B 16
Cobland Rd. SE12 —1K 7
Cockerhurst Rd. Shor —3J 25

Cockmannings La. Orp
—5C 18
Cockmannings Rd. Orp
—4C 18
Cocksett Av. Orp —3H 23
Cocksure La. Sidc —1F 11
Coe Av. SE25 —3F 13
Colby M. SE19 —2D 4
Colby Rd. SE19 —2D 4
Colebrooke Ct. Sidc —1A 10
(off Granville Rd.)
Colebrooke Rise. Brom —6F 7
Coleman Rd. SE25 —6F 5
Colemans Heath. SE9 —7F 3
Colepits Wood Rd. SE9
—2J 3
Coleridge Rd. Croy —4H 13
Coleridge Way. Orp —3K 17
Colesburg Rd. Beck —7A 6
Colin Clo. Croy —7A 14
Colin Clo. W Wick —7G 15
Colina Grn. SE19 —4D 4
College Rd. SE21 & SE19
—1E 4
College Rd. Brom —5H 7
College Rd. Croy —6C 12
College Rd. Swan —5K 11
College Slip. Brom —5H 7
College View. SE9 —5C 2
Colliers Ct. Croy —7C 12
Colliers Shaw. Kes —2A 22
Colliers Water La. T Hth
—2A 12
Collingtree Rd. SE26 —1H 5
Collingwood Clo. SE20
—5G 5
Colson Rd. Croy —6D 12
Colview Ct. SE9 —5C 2
Colvin Clo. SE26 —2H 5
Colworth Rd. Croy —5F 13
Colyer Clo. SE9 —6G 3
Commonside. Kes —1K 21
Comport Grn. New Ad
—1A 26
Compton Ct. SE19 —3D 4
Compton Rd. Croy —5G 13
Concorde Bus. Cen. Big H
—4F 27
Coney Hall Pde. W Wick
—7F 15
Coney Hill Rd. W Wick
—6F 15
Congreve Rd. SE9 —1E 2
Conifer Clo. Orp —1G 23
Conifer Way. Swan —5H 11
Coniffe Ct. SE9 —2G 3
Conisborough Cres. SE6
—1D 6
Coniscliffe Clo. Chst —5D 8
Coniston Av. Well —1K 3
Coniston Rd. Brom —3F 7
Coniston Rd. Croy —4F 13
Constance Brom
—4G 15
Constance Rd. Croy —4A 12
Contessa Clo. Orp —2H 23
Convent Hill. SE19 —3B 4
Cooden Clo. Brom —4J 7
Cookham Dene Clo. Chst
—5G 9
Cookham Hill. Orp —7F 9
Cookham Rd. Swan —5F 11
Coombe Lea. Brom —7B 8
Coombe Rd. SE26 —1G 5
Coombe Rd. Croy —7C 12
Cooper's La. SE12 —6A 2
Cooper's Yd. SE19 —3D 4
Copeman Clo. SE26 —2H 5
Copers Cope Rd. Beck —4A 6
Copley Dene. Brom —5A 8
Copper Beech Clo. Orp
—2B 18
Copper Clo. SE19 —4E 4
Copperfields. Beck —5D 6
Copperfield Way. Chst —3F 9
Coppergate Clo. Brom —5J 7

Coppins, The. New Ad
—3C 20
Copse Av. W Wick —7C 14
Copthorne Av. Brom —6C 16
Corbett Clo. Croy —7E 20
Corbett Ct. SE26 —1A 6
Corbylands Rd. Sidc —5K 3
Corkscrew Hill. W Wick
—6D 14
Cork Tree Ho. SE27 —2A 4
(off Lakeview Rd.)
Cornell Clo. Sidc —3D 10
Cornerstone Ho. Croy
—4B 12
Cornflower La. Croy —5J 13
Cornford Clo. Brom —2H 15
Cornish Gro. SE20 —5G 5
(in two parts)
Corn Mill Dri. Orp —4K 17
Cornwall Av. Well —1K 3
Cornwall Rd. Orp —4B 10
Cornwallis Av. SE9 —6J 3
Cornwall Rd. Croy —6A 12
Corona Rd. SE12 —4A 2
Cosmos Ho. Brom —1K 15
Cotelands. Croy —7D 12
Cotford Rd. T Hth —1B 12
Cotmandene Cres. Orp
—6A 10
Cotswold Rise. Orp —3J 17
Cotswold St. SE27 —1A 4
Cottage Av. Brom —5B 16
Cottingham Rd. SE20 —4J 5
Cottongrass Clo. Croy
—5J 13
Cotton Hill. Brom —1D 6
County Ga. SE9 —7H 3
County Rd. T Hth —6A 4
Course, The. SE9 —7F 3
Court Cres. Swan —1K 19
Court Downs Rd. Beck
—6C 6
Courtenay Dri. Beck —6E 6
Courtenay Rd. SE20 —3J 5
Court Farm Rd. SE9 —6C 2
Courtfield Rise. W Wick
—7E 14
Courtlands Av. SE12 —2A 2
Courtlands Av. Brom —5F 15
Courtney Clo. SE19 —3D 4
Courtney Pl. Croy —3A 12
Courtney Rd. Croy —7A 12
Court Rd. SE9 —3E 2
Court Rd. SE25 —6E 4
Court Rd. Orp —4A 18
Court St. Brom —6H 7
Court Wood La. Croy —7A 20
Court Yd. SE9 —3E 2
Coventery Rd. SE25 —1F 13
Coventry Rd. SE25 —1F 13
Coverack Clo. Croy —4K 13
Coverdale Gdns. Croy
—7E 12
Covert, The. Orp —3H 17
Covet Wood Clo. Orp —3J 17
Covington Gdns. SW16
—4A 4
Covington Way. SW16 —4A 4
(in two parts)
Cowden Rd. Orp —4J 17
Cowden St. SE6 —1B 6
Cowper Clo. Brom —1A 16
Cowper Rd. Brom —1A 16
Coxwell Rd. SE19 —4D 4
Crabbs Croft Clo. Orp —2F 23
Crab Hill. Beck —4E 6
Crabtree Wlk. Croy —5F 13
Cradley Rd. SE9 —5J 3
Craigen Av. Croy —5G 13
Craigton Rd. SE9 —1E 2
Crampton Rd. SE20 —3H 5
Cranbrook Clo. Brom —3H 15
Cranbrook Rd. T Hth —6B 4
Cranfield Clo. SE27 —1B 4
Cranleigh Clo. SE20 —5G 5
Cranleigh Clo. Orp —7K 17

Cranleigh Dri. Swan —1K 19
Cranleigh Gdns. SE25 —7D 4
Cranley Pde. SE9 —1B 8
Cranmer Rd. Croy —7A 12
Cranmore Rd. Brom —1G 7
Cranmore Rd. Chst —2C 8
Crathie Rd. SE12 —3A 2
Craven Rd. Croy —5G 13
Craven Rd. Orp —7C 18
Crawfords. Swan —4K 11
Cray Av. Orp —3A 18
Craybrooke Rd. Sidc —1A 10
Craybury End. SE9 —6H 3
Crayfield Ind. Pk. Orp
—6B 10
Craylands. Orp —7B 10
Cray Rd. Sidc —3B 10
Cray Rd. Swan —3H 19
Crayside Ind. Est. Croy
Cray Valley Rd. Orp —2K 17
Credenhall Dri. Brom —5C 16
Crescent Dri. Orp —3E 16
Crescent Gdns. Swan
—6H 11
Crescent Rd. Beck —6C 6
Crescent Rd. Brom —4H 7
Crescent Rd. Sidc —7K 3
Crescent, The. Beck —5B 6
Crescent, The. Croy —3C 12
Crescent, The. Sidc —1J 9
Crescent, The. W Wick
—3F 15
Crescent Way. Orp —2H 23
Crescent Wood Rd. SE26
—1F 5
Cressfel. Sidc —2A 10
Cresswell Rd. SE25 —1F 13
Crest Clo. Badg M —7G 25
Crest Rd. Brom —4G 15
Crest View Dri. Pet W —2E 16
Crichton Ho. SE9 —6H 3
Cricket Ground Rd. Chst
—5E 8
Cricket La. Beck —2K 5
Crockenhill Rd. Orp & Swan
—2C 18
Crockenhill Rd. Swan
—3G 19
Crockham Way. SE9 —1D 8
Crocus Clo. Croy —5J 13
Croft Av. W Wick —5D 14
Croft Clo. Chst —2C 8
Crofters Mead. Croy —5A 20
Crofton Av. Orp —6F 17
Crofton La. Orp —5G 17
Crofton Rd. Orp —7D 16
Croft Rd. SW16 —5A 4
Croft Rd. Brom —3H 7
Croft, The. Swan —7H 11
Croft Way. Sidc —7K 3
Crombie Rd. Sidc —5J 3
Cromer Pl. Orp —5G 17
Cromer Rd. SE25 —7G 5
Cromford Clo. Orp —7H 17
Cromlix Clo. Chst —6E 8
Cromwell Av. Brom —1J 15
Cromwell Clo. Brom —1J 15
Cromwell Rd. Beck —6K 5
Cromwell Rd. Croy —4C 12
Crossland Rd. T Hth —3A 12
Crossley Clo. Big H —4F 27
Crossmead. SE9 —5E 2
Cross Rd. Brom —6B 16
Cross Rd. Croy —5C 12
Cross Rd. Orp —2A 18
Cross Rd. Sidc —1A 10
Crossway. Orp —1G 17
Crossways. S Croy —4A 20
Crossways. Tats —2B 30
Crossways Rd. Beck —1B 14
Crossway, The. SE9 —6C 2
Crouch. Sidc —2A 10
Crouch Clo. Beck —3B 6
Crouch Croft. SE9 —7F 3
Crouchman's Clo. SE26
—1E 4

Crowhurst Way. Orp —2B 18
Crowland Rd. T Hth —1C 12
Crown Ash Hill. W'ham
—3D 26
Crown Ash La. Warl & Big H
—5C 26
Crown Clo. Orp —1K 23
Crown Ct. SE12 —3A 2
Crown Dale. SE19 —3A 4
Crown Hill. Croy —6B 12
Crown La. SW16 —2A 4
Crown La. Brom —2A 16
Crown La. Chst —5F 9
Crown La. Gdns. SW16
—2A 4
Crown La. Spur. Brom
—3A 16
Crown Pde. SE19 —3A 4
Crown Rd. Orp —2K 23
Crown, The. W'ham —7J 31
Crown Woods Way. SE9
—2J 3
Crowther Rd. SE25 —1F 13
Croxley Clo. Orp —6A 10
Croxley Grn. Orp —5A 10
Croyde Clo. Sidc —4J 3
Croydon Flyover, The. Croy
—7B 12
Croydon Gro. Croy —5A 12
Croydon Rd. SE20 —6G 5
Croydon Rd. Beck —1J 13
Croydon Rd. Kes —7A 16
Croydon Rd. W'ham —5E 30
Croydon Rd. W Wick & Brom
—7F 15
Crusader Gdns. Croy —7D 12
Crystal Pal. Pde. SE19 —3E 4
Crystal Pal. Pk. Rd. SE26
—2F 5
Crystal Pal. Sta. Rd. SE19
—3F 5
Crystal Ter. SE19 —3C 4
Cudham Dri. New Ad
—6D 20
Cudham La. N. Cud & Orp
—3A 28
Cudham La. S. Cud —4A 28
Cudham Pk. Rd. Cud —6H 23
Cudham Rd. Orp —7D 22
Cudham Rd. Tats —1D 30
Cuff Cres. SE9 —3C 2
Culverstone Clo. Hayes
—3G 15
Cumberland Av. Well —1K 3
Cumberland Rd. SE25
—3G 13
Cumberland Rd. Brom
—1F 15
Cumberlow Av. SE25 —7E 4
Cunningham Clo. W Wick
—6C 14
Cupola Clo. Brom —2J 7
Curnick's La. SE27 —1B 4
Curtismill Clo. Orp —7A 10
Curtismill Way. Orp —7A 10
Curzon Clo. Orp —1G 23
Cuthbert Gdns. SE25 —7D 4
Cuthbert Rd. Croy —6A 12
Cuxton. Pet W —2F 17
Cyclamen Rd. Swan —1J 19
Cypress Rd. SE25 —6D 4
Cyril Lodge. Sidc —1K 9
Cyril Rd. Orp —4K 17

Dacres Rd. SE23 —1J 5
Daerwood Clo. Brom —5C 16
Daffodil Clo. Croy —5J 13
Dagmar Rd. SE25 —2D 12
Dagnall Pk. SE25 —1C 12
Dagnall Rd. SE25 —2D 12
Dainford Clo. Brom —2E 6
Dainton Clo. Brom —5J 7
Dairsie Ct. Brom —6K 7

Dairsie Rd. SE9 —1F 3
Dairy Clo. T Hth —6B 4
Daisy Clo. Croy —5J 13
Dale Pk. Rd. SE19 —5C 4
Dale Rd. Swan —6H 11
Daleside. Orp —2K 23
Daleside Clo. Orp —3K 23
Dale, The. Kes —1A 22
Dale Wood Rd. Orp —4H 17
Dallas Rd. SE26 —1G 5
Dalmally Rd. Croy —4E 12
Dalmeny Av. SW16 —6A 4
Dalton Clo. Orp —7H 17
Daltons Rd. Orp & Swan
—7G 19
Daltons Rd. Swan —5H 19
Damon Clo. Sidc —1A 10
Damson Ct. Swan —1J 19
Dando Cres. SE3 —1A 2
Danebury. New Ad —3C 20
Dane Clo. Orp —2G 23
Danecourt Gdns. Croy
—7E 12
Danehill Wlk. Sidc —1K 9
Danescombe. SE12 —5A 2
Daneswood Av. SE6 —1D 6
Dargate Clo. SE19 —4E 4
Darley Clo. Croy —3K 13
Darlington Rd. SE27 —2A 4
Darrick Wood Rd. Orp
—6G 17
Dartmouth Rd. SE26 & SE23
—1G 5
Dartmouth Rd. Brom —4H 15
Dartnell Rd. Croy —4E 12
Darwin Clo. Orp —2G 23
Dassett Rd. SE27 —2A 4
Daverna Clo. Chst —5D 8
Davenant Rd. Croy —7A 12
David Ho. Sidc —1K 9
Davidson Rd. Croy —4D 12
Davies Clo. Croy —3F 13
Dawell Dri. Big H —6E 26
Dawson Av. Orp —6A 10
Dawson Dri. Swan —4K 11
Days La. Sidc —4K 3
Deacons Leas. Orp —1G 23
Deans Clo. Croy —7E 12
Deans Ga. Clo. SE23 —1J 5
Deepdale Av. Brom —1G 15
Deepdene Av. Croy —7E 12
Deerleap La. Hals —2H 29
Deer Pk. Way. W Wick
—6G 15
De Frene Rd. SE26 —1J 5
Degema Rd. Chst —2E 8
Delamere Cres. Croy —3H 13
De Lapre Clo. Orp —4C 18
Dellfield Clo. Beck —5D 6
Dell, The. SE19 —5A 4
Delmey Clo. Croy —7E 12
Denberry Dri. Sidc —1A 10
Denbigh Clo. Chst —3C 8
Denbridge Rd. Brom —6C 8
Den Clo. Beck —7E 6
Dene Clo. Brom —5G 15
Dene Clo. Dart —1K 10
Dene Dri. Orp —7A 18
Dene, The. Croy —7J 13
Denmark Path. SE25 —2G 13
Denmark Rd. SE25 —2F 13
Denmark Rd. Brom —5J 7
Denmark Wlk. SE27 —1B 4
Denmead Rd. Croy —5A 12
Dennett Rd. Croy —5A 12
Den Rd. Brom —7E 6
Densole Clo. Beck —5K 5
Denver Clo. Orp —3H 17
Derby Rd. Croy —5A 12
Derrick Rd. Beck —7A 6
Derry Downs. Orp —3B 18
Derwent Dri. Orp —4G 17
Derwent Ho. SE20 —6G 5
(off Derwent Rd.)
Derwent Rd. SE20 —6F 5
Detling Rd. Brom —2H 7

Devonshire Rd. SE9 —6D 2
Devonshire Rd. Croy —4C 12
Devonshire Rd. Brom —4K 17
Devonshire Sq. Brom —1J 15
Devonshire Way. Croy
—6K 13
Diameter Rd. Orp —3F 17
Dickens Dri. Chst —3F 9
Dickensons La. SE25 —2F 13
Dickensons Pl. SE25 —3F 13
Dickson Rd. SE9 —1D 2
Digby Pl. Croy —7E 12
Dilhorne Clo. SE12 —7A 2
Dillwyn Clo. SE26 —1K 5
Dingley. Sidc —2A 10
Dingwall Av. Croy —6B 12
Dingwall Rd. Croy —5C 12
Dinsdale Gdns. SE25 —2D 13
Dittisham Rd. SE9 —1B 8
Ditton Pl. SE20 —5G 5
Dixon Pl. W Wick —5C 14
Dixon Rd. SE25 —7D 4
Dobell Rd. SE9 —2E 2
Doctors Clo. SE26 —2H 5
Dodbrooke Rd. SE27 —1A 4
Dome Hill Pk. SE26 —1E 4
Dominion Rd. Croy —4E 12
Domonic Dri. SE9 —1E 8
Dorado Gdns. Orp —7C 18
Dorchester Clo. Orp —4A 10
Dorney Rise. Orp —1J 17
Dorrington Ct. SE19 —6D 4
Dorrit Way. Chst —3F 9
Dorryn Ct. SE26 —2J 5
Dorset Av. Well —1K 3
Dorset Rd. SE9 —2D 2
Dorset Rd. Beck —7J 5
Douglas Ct. Big H —6G 27
Douglas Dri. Croy —7B 14
Doveney Clo. Orp —7B 10
Dovercourt Av. T Hth —2A 12
Dover Rd. SE19 —3C 4
Doves Clo. Brom —6B 16
Dowding Rd. Big H —4F 27
Dowlerville Rd. Orp —3J 23
Downderry Rd. Brom —1E 6
Downe Av. Cud —1A 28
Downe Rd. Cud —2K 27
Downe Rd. Kes —5A 22
Downham La. Brom —2E 6
Downham Way. Brom —2E 6
Downleys Clo. SE9 —6D 2
Downman Rd. SE9 —1D 2
Downs Av. Chst —2C 8
Downsbridge Rd. Beck
—5E 6
Downs Hill. Beck —4E 6
Downs Rd. Beck —6C 6
Downs Rd. T Hth —5B 4
Downs View Clo. Orp
—6B 24
Downsview Gdns. SE19
—4A 4
Downsview Rd. SE19 —4A 4
Downsway. Orp —2H 23
Doyle Rd. SE25 —1F 13
Draper Ct. Brom —1B 16
Drayton Av. Orp —5E 16
Drayton Rd. Croy —6A 12
Drift, The. Brom —7A 16
Drive, The. Beck —5B 6
Drive, The. Chst —7J 9
Drive, The. Orp —6J 17
Drive, The. Sidc —1A 10
Drive, The. T Hth —1C 12
Drive, The. W Wick —4E 14
Droitwich Clo. SE26 —1F 5
Druids Way. Brom —1E 14
Drummond Cen. Croy
—6B 12
Drummond Pl. Croy —6B 12
Drummond Rd. Croy —6B 12
Dryden Way. Orp —5K 17
Dryland Av. Orp —1J 23
Duddington Clo. SE9 —1A 8
Dudsbury Rd. Sidc —3A 10

Dukesthorpe Rd. SE26
    —1J **5**
Dukes Way. W Wick —7F **15**
Dulverton Rd. SE9 —6H **3**
Dulwich Oaks Pl. SE21 —1E **4**
Dulwich Wood Av. SE19
    —1D **4**
Dulwich Wood Pk. SE19
    —1D **4**
Dumbreck Rd. SE9 —1E **2**
Dunbar Av. SW16 —7A **4**
Dunbar Av. Beck —1K **13**
Dunbar St. SE27 —1B **4**
Dundee Rd. SE25 —2G **13**
Dundry Ho. SE26 —1F **5**
Dunelm Gro. SE27 —1B **4**
Dunfield Gdns. SE6 —2C **6**
(in two parts)
Dunfield Rd. SE6 —2C **6**
(in two parts)
Dunheved Rd. N. T Hth
    —3A **12**
Dunheved Rd. S. T Hth
    —3A **12**
Dunkeld Rd. SE25 —1C **12**
Dunkery Rd. SE9 —1A **8**
Dunkirk St. SE27 —1B **4**
Dunley Dri. New Ad —4C **20**
Dunsfold Way. New Ad
    —5C **20**
Dunstan Glade. Orp —5G **17**
Dunster Ho. SE6 —1D **6**
Dunvegan Rd. SE9 —1E **2**
Duppas Hill La. Croy —7A **12**
Duppas Hill Rd. Croy —7A **12**
Duppas Hill Ter. Croy —7A **12**
Duppas Rd. Croy —7A **12**
Duraden Clo. Beck —4C **6**
Durban Rd. SE27 —1B **4**
Durban Rd. Beck —6A **6**
Durham Av. Brom —1G **15**
Durham Hill. Brom —1G **7**
Durham Rd. Brom —7G **7**
Durham Rd. Sidc —2A **10**
Durley Gdns. Orp —7A **18**
Durnford Ho. SE6 —1D **6**
Durning Rd. SE19 —2C **4**
Durrant Way. Orp —2G **23**
Duxberry Clo. Brom —2B **16**
Dyke Dri. Orp —4B **18**
Dykes Way. Brom —7G **7**
Dymchurch Clo. Orp —1H **23**
Dyneley Rd. SE12 —7B **2**

Eagle Hill. SE19 —3C **4**
Eagles Dri. Tats —7F **27**
Ealdham Sq. SE9 —1B **2**
Earlshall Rd. SE9 —1E **2**
Earlsthorpe Rd. SE26 —1J **5**
Eastbury Rd. Orp —3G **17**
Eastcote. Orp —5J **17**
East Dri. Orp —1A **18**
Eastern View. Big H —6E **26**
E. Hall Rd. Orp —4D **18**
East Hill. Big H —7D **26**
Eastmead Clo. Brom —6B **8**
Eastney Rd. Croy —5G **12**
Eastnor Rd. SE9 —5H **3**
East Pl. SE27 —1B **4**
E. Rochester Way. Well
    —1K **3**
Eastry Av. Brom —3G **15**
East St. Brom —6H **7**
East Ter. Sidc —6K **3**
East Way. Brom —4H **15**
East Way. Croy —6K **13**
Eastwell Clo. Beck —4K **5**
Ebdon Way. SE3 —1A **2**
Ebon Way. SE3 —1A **2**
Ebury Clo. Kes —7B **16**
Ecclesbourne Rd. T Hth
    —2B **12**
Eccleston Clo. Orp —5G **17**
Eddisbury Ho. SE26 —1F **5**
Edenbridge Clo. Orp —1C **18**

Eden Clo. Bex —1J **11**
Eden Pk. Av. Beck —1K **13**
Eden Rd. SE27 —1A **4**
Eden Rd. Beck —1K **13**
Eden Rd. Bex —1H **11**
Eden Rd. Croy —7C **12**
Eden Way. Beck —2A **14**
Edgar Rd. Tats —3C **30**
Edgeborough Way. Brom
    —4A **8**
Edgebury. Chst —1E **8**
Edgebury Wlk. Chst —1F **9**
Edge Hill Ct. Sidc —1J **9**
Edgehill Rd. Chst —7H **3**
Edgepoint Clo. SE27 —2A **4**
Ederline Av. SW16 —6A **4**
Edgewood Dri. Orp —2K **23**
Edgewood Grn. Croy —5J **13**
Edgeworth Rd. SE9 —1B **2**
Edgington Way. Sidc —4B **10**
Edison Rd. Brom —6H **7**
Edith Rd. SE25 —2C **12**
Edith Rd. Orp —2K **23**
Edmund Rd. Orp —3B **18**
Edmunds Av. Orp —7C **10**
Edridge Rd. Croy —7B **12**
Edward Rd. SE20 —3J **5**
Edward Rd. Big H —2G **27**
Edward Rd. Brom —4J **7**
Edward Rd. Chst —2E **8**
Edward Rd. Croy —4D **12**
Edwards Gdns. Swan —1J **19**
Edwin Arnold Ct. Sidc —1J **9**
Edwin Pl. Croy —5D **12**
Egerton Av. Swan —4K **11**
Egerton Rd. SE25 —7D **4**
Egremont Rd. SE27 —1A **4**
Eileen Rd. SE25 —2C **12**
Eland Pl. Croy —7A **12**
Eland Rd. Croy —7A **12**
Elborough Rd. SE25 —2F **13**
Elderberry Gro. SE27 —1B **4**
Elder Oak Clo. SE20 —5G **5**
Elder Oak Ct. SE20 —5F **5**
Elder Rd. SE27 —1B **4**
Elderslie Clo. Beck —3C **14**
Elderslie Rd. SE9 —2F **3**
Elderton Rd. SE26 —1K **5**
Elderwood Pl. SE27 —2B **4**
Eldon Av. Croy —6H **13**
Eldon Pk. SE25 —1G **13**
Eldred Dri. Orp —6B **18**
Elford Clo. SE3 —1A **2**
Elfrida Cres. SE6 —1B **6**
Elgal Clo. Orp —2E **22**
Elgin Rd. Croy —6E **12**
Elham Clo. Brom —4A **8**
Elibank Rd. SE9 —1E **2**
Elizabeth Ter. SE9 —3E **2**
Elizabeth Way. SE19 —4C **4**
Elizabeth Way. Orp —2B **18**
Ellenborough Rd. Sidc
    —2C **10**
Ellen Clo. Brom —7A **8**
Ellery Rd. SE19 —4C **4**
Ellesmere Av. Beck —6D **6**
Elliott Rd. Brom —1A **16**
Elliott Rd. T Hth —1A **12**
Ellis Clo. SE9 —6H **3**
Ellison Rd. Sidc —6J **3**
Elm Bank Dri. Brom —6K **7**
Elmbrook Gdns. SE9 —1D **2**
Elmcroft Rd. Orp —4K **17**
Elmdene Clo. Beck —3A **14**
Elm Dri. Swan —1K **19**
Elmers End Rd. SE20 & Beck
    —6H **5**
Elmerside Rd. Beck —4K **5**
Elmers Rd. SE25 —4F **13**
Elmfield Pk. Brom —7H **7**
Elmfield Rd. Brom —6H **7**
Elm Gro. Orp —5J **17**
Elmgrove Rd. Croy —4G **13**
Elmhurst Rd. SE9 —6D **2**
Elmlee Clo. Chst —3C **8**
Elm Pde. Sidc —1K **9**

Elm Pk. Rd. SE25 —7E **4**
Elm Rd. Beck —6A **6**
Elm Rd. Orp —4K **23**
Elm Rd. Sidc —1K **9**
Elm Rd. T Hth —1C **12**
Elm Rd. W'ham —7K **31**
Elmscott Rd. Brom —2F **7**
Elmside. New Ad —3C **20**
Elmstead Av. Chst —2C **8**
Elmstead Glade. Chst —3C **8**
Elmstead La. Chst —4B **8**
Elm Ter. SE9 —3F **3**
Elm Wlk. Orp —7C **16**
Elmwood Rd. Croy —4A **12**
Elsa Ct. Beck —5A **6**
Elstan Way. Croy —4K **13**
Elstow Clo. SE9 —2F **3**
(in two parts)
Elstree Hill. Brom —4F **7**
Eltham Av. SE9 —2C **2**
Eltham Grn. Rd. SE9 —1B **2**
Eltham High St. SE9 —3E **2**
Eltham Pal. Rd. SE9 —3B **2**
Eltham Pk. Gdns. SE9 —1F **3**
Eltham Rd. SE12 & SE9
    —2A **2**
Elvington Grn. Brom —2G **15**
Elvino Rd. SE26 —2K **5**
Elwill Way. Beck —1D **14**
Elwyn Gdns. SE12 —4A **2**
Ely Rd. Croy —2C **12**
Elysian Av. Orp —3J **17**
Embassy St. Sidc —1A **10**
Embassy Gdns. Beck —5A **6**
Ember Ct. Orp —4F **17**
Engadine Clo. Croy —7E **12**
Englefield Clo. Croy —3B **12**
Englefield Clo. Orp —1J **17**
Englefield Cres. Orp —1J **17**
Englefield Path. Orp —1K **17**
Enmore Av. SE25 —2F **13**
Enmore Rd. SE25 —2F **13**
Enslin Rd. SE9 —4F **3**
Epsom Rd. Croy —7A **12**
Eresby Dri. Beck —5B **14**
Erica Ct. Swan —1K **19**
Erica Gdns. Croy —7C **14**
Eridge Grn. Clo. Orp —5B **18**
Erin Clo. Brom —4F **7**
Ermington Rd. SE9 —6H **3**
Ernest Av. SE27 —1A **4**
Ernest Gro. Beck —2A **14**
Esam Way. SW16 —2A **4**
Escott Gdns. SE9 —1B **8**
Eskdale Gdns. SE12 —5A **2**
Eskmont Ridge. SE19 —4D **4**
Essex Gro. SE19 —3C **4**
Estcourt Rd. SE25 —3G **13**
Etfield Gro. Sidc —2A **10**
Ethelbert Clo. Brom —6H **7**
Ethelbert Rd. Brom —7H **7**
Ethelbert Rd. Orp —7C **10**
Ethel Ter. Orp —5B **24**
Eton Rd. Orp —1A **24**
Euston Rd. Croy —5A **12**
Evelina Rd. SE20 —4H **5**
Evelyn Av. T'sey —6B **30**
Evening Hill. Beck —4D **6**
Everard Av. Brom —5H **15**
Everest Pl. Swan —1J **19**
Everest Rd. SE9 —2E **2**
Everglade. Big H —7F **27**
Eversley Rd. SE19 —4C **4**
Eversley Way. Croy —7B **14**
Everton Rd. Croy —5F **13**
Evry Rd. Sidc —3B **10**
Exeter Rd. Croy —4D **12**
Exford Gdns. SE12 —5A **2**
Exford Rd. SE12 —6A **2**
Exmouth Rd. Brom —7J **7**
Eyebright Clo. Croy —5J **13**
Eylewood Rd. SE27 —2B **4**
Eynsford Clo. Orp —4F **17**
Eynsford Rd. Swan —3J **19**

Eynswood Dri. Sidc —2A **10**
Eysdown Rd. SE9 —6D **2**

Factory La. Croy —6A **12**
Faesten Way. Bex —1K **11**
Fair Acres. Brom —2H **15**
Fair Acres. Croy —5A **20**
Fairbank Av. Orp —6E **16**
Fairby Rd. SE12 —2A **2**
Fairchildes Av. New Ad
    —7E **20**
Fairchildes Rd. Warl —3A **26**
Fairfield Clo. Sidc —3K **3**
Fairfield Path. Croy —7C **12**
Fairfield Rd. Beck —6B **6**
Fairfield Rd. Brom —4H **7**
Fairfield Rd. Croy —7C **12**
Fairfield Rd. Orp —3G **17**
Fairford Av. Croy —2J **13**
Fairford Clo. Croy —2K **13**
Fairgreen Rd. T Hth —2A **12**
Fairhaven Av. Croy —3J **13**
Fairholme Rd. Croy —4A **12**
Fairlands Ct. SE9 —3F **3**
Fairlawn Pk. SE26 —2K **5**
Fairline Ct. Beck —6D **6**
Fairmead. Brom —1C **16**
Fairmead Clo. Brom —1C **16**
Fairoak Clo. Orp —4E **16**
Fairoak Dri. SE9 —2J **3**
Fairtrough Rd. Orp —1F **29**
Fairview Dri. Orp —1G **23**
Fairway. Orp —2G **17**
Fairway Clo. Croy —2K **13**
Fairway Gdns. Beck —3E **14**
Fairway, The. Brom —2C **16**
Fairwyn Rd. SE26 —1K **5**
Falcon Av. Brom —1B **16**
Falcons Clo. Big H —6F **27**
Falconwood Pde. Well —1K **3**
Falconwood Rd. Croy
    —5A **20**
Falkland Pk. Av. SE25 —7D **4**
Fambridge Clo. SE26 —1A **6**
Faraday Way. Orp —1A **18**
Faringdon Av. Brom —4D **16**
Farleigh Av. Brom —4G **15**
Farleigh Dean Cres. New Ad
    —7C **20**
Farley Ho. SE26 —1G **5**
Farley Pl. SE25 —1F **13**
Farley Rd. SE25 —1C **12**
Faro Clo. Brom —6D **8**
Farquhar Rd. SE19 —2E **4**
Farquharson Rd. Croy
    —5B **12**
Farrant Clo. Orp —4K **23**
Farrer's Pl. Croy —7J **13**
Farrington Av. Orp —7A **10**
Farrington Pl. Chst —4G **9**
Farthing Barn La. Orp
    —5D **22**
Farthing St. Orp —4C **22**
Farwell Rd. Sidc —1A **10**
Farwig La. Brom —5G **7**

Fashoda Rd. Brom —1A **16**
Faversham Rd. Beck —6A **6**
Fawcett Rd. Croy —7B **12**
Featherbed La. Croy & Warl
    —4A **20**
Felhampton Rd. SE9 —7G **3**
Felix Mnr. Chst —3H **9**
Fell Rd. Croy —7B **12**
Felmingham Rd. SE20 —6H **5**
Felstead Rd. Orp —6K **17**
Felton Clo. Orp —3E **16**
Felton Lea. Sidc —2J **9**
Fen Gro. Sidc —2K **3**
Fenn Clo. Brom —3H **7**
Fennel Clo. Croy —5J **13**
Fenton Clo. Chst —2C **8**
Ferby Ct. Sidc —1J 9
(off Main Rd.)
Ferguson Clo. Brom —7E **6**
Fernbrook Av. Sidc —2K **3**
Ferndale. Brom —6K **7**
Ferndale Rd. SE25 —2G **13**
Ferndale Way. Orp —2G **23**
Ferndell Av. Bex —1J **11**
Ferndown Av. Orp —5G **17**
Ferndown Rd. SE9 —4C **2**
Fernham Rd. T Hth —7B **4**
Fernheath Way. Dart —2J **11**
Fern Hill Pl. F'boro —2F **23**
Fernhurst Rd. Croy —5G **13**
Fernwood. Croy —5A **20**
Fernwood Clo. Brom —6K **7**
Ferris Av. Croy —7A **14**
Field Clo. Brom —4A **16**
Fieldside Clo. Orp —1F **23**
Fieldside Rd. Brom —2E **6**
Field Way. New Ad —4C **20**
Fieldway. Orp —3G **17**
Filey Clo. Big H —1A **30**
Finch Av. SE27 —1C **4**
Finch Ct. Sidc —1A **10**
Finglesham Clo. Orp —5C **18**
Finucane Dri. Orp —4B **18**
Fir Dene. Orp —7D **16**
Fire Sta. M. Beck —5C **6**
Firhill Rd. SE6 —1B **6**
Firmingers Rd. Orp —2G **25**
Firsby Av. Croy —5J **13**
Firside Gro. Sidc —5K **3**
Fir Tree Clo. Orp —2J **23**
Firtree Gdns. Croy —1B **20**
Fisher Clo. Croy —5E **12**
Fishponds Rd. Kes —2A **22**
Fitzjames Av. Croy —6F **13**
Fitzroy Gdns. SE19 —4D **4**
Fiveacre Clo. T Hth —3A **12**
Five Elms Rd. Brom —6J **15**
Flag Clo. Croy —5J **13**
Flamborough Clo. Big H
    —1A **30**
Flaxmore Pl. Beck —3E **14**
Fleetwood Clo. Croy —7E **12**
Fletchers Clo. Brom —1J **15**
Flimwell Clo. Brom —2F **7**
Flora Gdns. New Ad —7D **20**
Florence Rd. Beck —6K **5**
Florence Rd. Brom —5H **7**
Florida Rd. T Hth —5A **4**
Flyers Way, The. W'ham
    —7J **31**
Foley Rd. Big H —7F **27**
Fonthill Clo. SE20 —6F **5**
Fontwell Dri. Brom —2D **16**
Footbury Hill Rd. Orp
    —3K **17**
Foots Cray High St. Sidc
    —3B **10**
Footscray Rd. SE9 —3F **3**
Force Grn. La. W'ham
    —6J **31**
Ford Clo. T Hth —2A **12**
Fordcroft Rd. Orp —2A **18**
Forde Av. Brom —7K **7**
Fordington Ho. SE26 —1F **5**
Fordwich Clo. Orp —4J **17**
Forest Clo. Chst —5D **8**

Forestdale Cen., The. Croy —4A 20
Forest Dri. Kes —1B 22
Forest Ridge. Beck —7B 6
Forest Ridge. Kes —1B 22
Forest Way. Orp —2J 17
Forest Way. Sidc —4J 3
Forge Clo. Brom —5H 15
Forge Field. Big H —5F 27
Forrester Path. SE26 —1H 5
Forstal Clo. Brom —7H 7
Forster Ho. Brom —1E 6
Forster Rd. Beck —7K 5
Forsyte Cres. SE19 —5D 4
Forsythe Shades Ct. Beck —5D 6
Fosters Clo. Chst —2C 8
Foulsham Rd. T Hth —7C 4
Founders Gdns. SE19 —4B 4
Fountain Dri. SE19 —1E 4
Fountain Rd. T Hth —6B 4
Fowlers Clo. Sidc —2D 10
Foxbury Av. Chst —3G 9
Foxbury Clo. Brom —3J 7
Foxbury Clo. Orp —2K 23
Foxbury Dri. Orp —3K 23
Foxbury Rd. Brom —3H 7
Fox Clo. Orp —2K 23
Foxcombe. New Ad —3C 20
(in two parts)
Foxearth Clo. Big H —7G 27
Foxes Dale. Brom —7E 6
Foxfield Rd. Orp —6G 17
Foxgrove Av. Beck —4C 6
Foxgrove Rd. Beck —4C 6
Fox Hill. SE19 —4E 4
Fox Hill. Kes —2K 21
Fox Hill Gdns. SE19 —3D 4
Foxhole Rd. SE9 —2D 2
Foxhome Clo. Chst —3D 8
Fox La. Kes —2J 17
Foxleas Ct. Brom —4F 7
Foxley Rd. T Hth —1A 12
Framlingham Cres. SE9 —1B 8
Francis Rd. Croy —4A 12
Francis Rd. Orp —7C 10
Frankel Mt. SE9 —2D 2
Franklin Clo. SE27 —1A 4
Franklin Pas. SE9 —1D 2
Franklin Rd. SE20 —4H 5
Franks Wood Av. Orp —2E 16
Fransfield Gro. SE26 —1G 5
Frant Clo. SE20 —4H 5
Frant Rd. T Hth —2A 12
Freeland Ct. Sidc —1K 9
Freelands Gro. Brom —5J 7
Freelands Rd. Brom —5J 7
Freemasons Rd. Croy —5D 12
Freesia Clo. Orp —2J 23
Freethorpe Clo. SE19 —5D 4
Frensham Dri. New Ad —4D 20
Frensham Rd. SE9 —6J 3
Freshfields. Croy —5A 14
Freshwood Clo. Beck —5C 6
Friar M. SE27 —1A 4
Friar Rd. Orp —2K 17
Friars M. SE9 —2F 3
Friarswood. Croy —5A 20
Friends Rd. Croy —7C 12
Frimley Clo. New Ad —4D 20
Frimley Ct. Sidc —2B 10
Frimley Cres. New Ad —4D 20
Frinsted Clo. Orp —1C 18
Frith Rd. Croy —6B 12
Frognal Av. Sidc —3K 9
Frognal Pl. Sidc —3K 9
Froissart Rd. SE9 —2C 2
Frylands Ct. New Ad —7D 20
Fryston Av. Croy —6F 13
Fuller Clo. Orp —2J 23
Fuller's Wood. Croy —1B 20
Fullerton Rd. Croy —4E 12

Furneaux Av. SE27 —2A 4
Furzefield Clo. Chst —3E 8
Furze Rd. T Hth —7B 4
Fyfe Way. Brom —6H 7
Fyfield Clo. Brom —1E 14
Gable Ct. SE26 —1G 5
Gables, The. Brom —4J 7
Gainsborough Clo. Beck —4B 6
Gainsborough M. SE26 —1G 5
Gaitskell Rd. SE9 —5H 3
Galahad Rd. Brom —1H 7
Gallus Sq. SE3 —1A 2
Garden Clo. SE12 —7A 2
Garden Cotts. St P —6B 10
Gardeners Rd. Croy —5A 12
Garden La. Brom —3J 7
Garden Rd. SE20 —5H 5
Garden Rd. Brom —4J 7
Gardens, The. Beck —6E 6
Garden Wlk. Beck —5A 6
Gardiner Clo. Orp —6B 10
Gareth Gro. Brom —1H 7
Garnet Rd. T Hth —1B 12
Garnett Clo. SE9 —1E 2
Garrard Clo. Chst —2E 8
Garrick Cres. Croy —6D 12
Gascoigne Rd. New Ad —6D 20
Gatcombe Ct. Beck —4B 6
Gateacre Ct. Sidc —1K 9
Gates Grn. Rd. W Wick —7G 15
Gatestone Rd. SE19 —3D 4
Gattons Way. Sidc —1E 10
Gavestone Cres. SE12 —4A 2
Gavestone Rd. SE12 —4A 2
Geffery's Ct. SE9 —7D 2
Geneva Rd. T Hth —2B 12
Genoa Rd. SE20 —5H 5
George Gro. Rd. SE20 —5F 5
George La. Brom —5J 15
Georges Clo. Orp —7B 10
George's Rd. Tats —2C 30
George St. Croy —6B 12
Georgetown Clo. SE19 —2D 4
Georgian Clo. Brom —2J 15
Georgia Rd. T Hth —5A 4
Geraint Rd. Brom —1H 7
Gerda Rd. SE9 —6H 3
Gibbs Av. SE19 —2C 4
Gibbs Clo. SE19 —2C 4
Gibbs Sq. SE19 —2C 4
Gibsons Hill. SW16 —4A 4
Giggs Hill. Orp —6K 9
Gilbert Rd. Brom —4H 7
Giles Coppice. SE19 —1E 4
Gillett Rd. T Hth —1C 12
Gillmans Rd. Orp —5A 18
Gilroy Way. Orp —4A 18
Gilsland Rd. T Hth —1C 12
Gipsy Hill. SE19 —1D 4
Gipsy Rd. SE27 —1B 4
Gipsy Rd. Gdns. SE27 —1B 4
Girton Gdns. Croy —7B 14
Girton Rd. SE26 —2J 5
Glade Gdns. Croy —4K 13
Gladeside. Croy —3J 13
Glades Pl. Brom —6H 7
Glades Shopping Cen., The. Brom —6H 7
Glade, The. Brom —6A 8
Glade, The. Croy —4K 13
Glade, The. W Wick —7C 14
Gladstone M. SE20 —4H 5
Gladstone Rd. Croy —4C 12
Gladstone Rd. Orp —2F 23
Gladwell Rd. Brom —3H 7
Glanfield Rd. Beck —1A 14
Glanville Rd. Brom —7J 7
Glasbrook Rd. SE9 —4C 2
Glassmill La. Brom —6G 7
(in two parts)

Glebe Ho. Dri. Brom —5J 15
Glebe Hyrst. SE19 —1D 4
Glebe Rd. Brom —5H 7
Glebe, The. Chst —5F 9
Glebe Way. W Wick —6D 14
Gleeson Dri. Orp —1J 23
Glenavon Lodge. Beck —4B 6
Glenbarr Clo. SE9 —1G 3
Glenbow Rd. Brom —3F 7
Glen Ct. Sidc —1K 9
Glendale. Swan —2K 19
Glendale Clo. SE9 —1F 3
Glendale M. Beck —5C 6
Glendower Cres. Orp —3K 17
Gleneagles Clo. Orp —5G 17
Gleneagles Grn. Orp —5G 17
Glenesk Rd. SE9 —1F 3
Glen Gdns. Croy —7A 12
Glenhead Clo. SE9 —1G 3
Glenhouse Rd. SE9 —2F 3
Glenhurst. Beck —5D 6
Glenhurst Rise. SE19 —4B 4
Glenlea Rd. SE9 —2E 2
Glenlyon Rd. SE9 —2F 3
Glenmore Lodge. Beck —5C 6
Glennie Rd. SE27 —1A 4
Glenrose Ct. Sidc —2A 10
Glenshiel Rd. SE9 —2F 3
Glen, The. Brom —6F 7
Glen, The. Croy —7J 13
Glen, The. Orp —7D 16
Glenthorne Av. Croy —5H 13
Glentrammon Av. Orp —3J 23
Glentrammon Clo. Orp —2J 23
Glentrammon Gdns. Orp —3J 23
Glentrammon Rd. Orp —3J 23
Glenure Rd. SE9 —2F 3
Glenview Rd. Brom —6A 8
Glenwood Ct. Sidc —1K 9
Glenwood Way. Croy —3J 13
Gload Cres. Orp —6C 18
Gloucester Av. Sidc —6K 3
Gloucester Rd. Croy —4C 12
Glyn Clo. SE25 —6D 4
Glyndebourne Pk. Orp —6E 16
Glyn Dri. Sidc —1A 10
Goatsfield Rd. Tats —2B 30
Goddard Rd. Beck —1J 13
Goddington Chase. Orp —1A 24
Goddington La. Orp —7B 18
Godric Cres. New Ad —6E 20
Godwin Rd. Brom —7K 7
Goldcrest Way. New Ad —5E 20
Golden M. SE20 —5H 5
Goldfinch Clo. Orp —2K 23
Goldsel Rd. Swan —2J 19
Golf Rd. Brom —7D 8
Goodhart Way. W Wick —4F 15
Goodhew Rd. Croy —3F 13
Goodmead Rd. Orp —4K 17
Goodwood Pde. Beck —1K 13
Goose Grn. Clo. St P —6K 9
Gordon Cres. Croy —5D 12
Gordon Rd. Beck —7A 6
Gordon Rd. Sidc —2K 3
Gordon Way. Brom —5H 7
Gorse Rd. Croy —1B 20
Gorse Rd. Orp —6F 19
Gosshill Rd. Chst —6D 8
Gossington Clo. Chst —1E 8
Goudhurst Rd. Brom —2F 7
Gourock Rd. SE9 —2F 3
Gowland Pl. Beck —6A 6
Grace Clo. SE9 —7C 2
Grace Path. SE26 —1H 5
Grace Rd. Croy —3B 12
Gradient, The. SE26 —1F 5

Grafton Rd. Croy —5A 12
Graham Clo. Croy —6B 14
Grampian Clo. Orp —3J 17
Granby Rd. SE9 —1E 2
Grand View Av. Big H —6E 26
Grange Av. SE25 —6D 4
Grangecliffe Gdns. SE25 —6D 4
Grange Dri. Chst —3B 8
Grange Dri. Orp —5B 24
Grange Gdns. SE25 —6D 4
Grange Hill. SE25 —6D 4
Grangehill Rd. SE9 —1E 2
Grange Pk. Rd. T Hth —1C 12
Grange Rd. SE25 & SE19 —7C 4
Grange Rd. Orp —7G 17
Grange Rd. T Hth —1C 12
Grange, The. Croy —6A 14
Grangewood La. Beck —3A 6
Grangewood Ter. SE25 —6C 4
Granton Rd. Sidc —3B 10
Grant Pl. Croy —5E 12
Grant Rd. Croy —5E 12
Granville Clo. Croy —6D 12
Granville M. Sidc —1K 9
Granville Rd. Sidc —1K 9
Grasmere Av. Orp —7E 16
Grasmere Ct. SE26 —2F 5
Grasmere Gdns. Orp —7E 16
Grasmere Rd. SE25 —2G 13
Grasmere Rd. Brom —5G 7
Grasmere Rd. Orp —6E 16
Grassington Rd. Sidc —1K 9
Gravel Pit La. SE9 —2G 3
Gravel Pit Way. Orp —6K 17
Gravel Rd. Brom —7B 16
Gravelwood Clo. Chst —7H 3
Graveney Gro. SE20 —4H 5
Grayland Clo. Brom —5A 8
Grays Farm Rd. Orp —5A 10
Grays Rd. W'ham —3G 31
Grazeley Ct. SE19 —2D 4
Gt. Brownings. SE21 —1E 4
Gt. Elms Rd. Brom —1K 15
Gt. Harry Dri. SE9 —7F 3
Gt. Thrift. Orp —1F 17
Greatwood. Chst —4D 8
Grecian Cres. SE19 —3A 4
Greenacre Clo. Swan —1K 19
Greenacres. SE9 —3F 3
Green Acres. Croy —7E 12
Greenacres. Sidc —1K 9
Greenacres Clo. Orp —1F 23
Green Clo. Brom —7F 7
Greencourt Av. Croy —6G 13
Greencourt Gdns. Croy —6G 13
Greencourt Rd. Orp —2J 23
Green Ct. Rd. Swan —3J 19
Green Farm Clo. Orp —2J 23
Greenfield Gdns. Orp —4G 17
Greenfield Rd. Dart —2J 11
Green Gdns. Orp —2F 23
Greenhill. Orp —1H 27
Greenhithe Clo. Sidc —4K 3
Greenholm Rd. SE9 —2G 3
Greenhurst Rd. SE27 —2A 4
Green La. SE9 & Chst —5G 3
Green La. SE20 —4J 5
Green La. SW16 & T Hth —5A 4
Green La. Gdns. T Hth —6B 4
Greenleigh Av. St P —1A 18
Greenoak Rise. Big H —7E 26
Greenside. Swan —6J 11
Greenside Clo. Chst —3E 8
Greenside Rd. Croy —4A 12
Greenside Wlk. Big H —7D 26
Green, The. Brom —1H 7

Green, The. Croy —5A 20
Green, The. F'boro —2E 22
Green, The. Hayes —4H 15
Green, The. Sidc —1K 9
Green, The. St P —4A 10
Green, The. Well —1K 3
Greenvale Rd. SE9 —1E 2
Greenview Av. Beck —3K 13
Greenview Av. Croy —3K 13
Green Way. SE9 —2C 2
Green Way. Brom —3B 16
Greenway. Chst —2D 8
Greenway. Tats —2B 30
Greenway Gdns. Croy —7A 14
Greenways. Beck —7B 6
Greenway, The. Orp —3A 18
Greenwood Clo. Orp —3H 17
Greenwood Rd. Bex —1J 11
Greenwood Rd. Croy —4A 12
Gregory Cres. SE9 —4C 2
Grenaby Av. Croy —4C 12
Grenaby Rd. Croy —4C 12
Grenville Rd. New Ad —5D 20
Gresham Rd. SE25 —1F 13
Gresham Rd. Beck —6K 5
Gresswell Clo. Sidc —1K 9
Greycot Rd. Beck —2B 6
Greys Pk. Clo. Kes —2A 22
Grice Av. Big H —2D 26
Grimwade Av. Croy —7F 13
Grosvenor Rd. SE25 —1F 13
Grosvenor Rd. Orp —3H 17
Grosvenor Rd. W Wick —5C 14
Grove Clo. Brom —6H 15
Grovehill Ct. Brom —3G 7
Groveland Rd. Beck —7A 6
Grovelands Rd. Orp —4K 9
Grove Mkt. Pl. SE9 —3E 2
Grove Pk. Rd. SE9 —7B 2
Grove Rd. Tats —2B 30
Grove, The. Big H —7G 27
Grove, The. Sidc —1D 10
Grove, The. Swan —7K 11
Grove, The. W Wick —6D 14
Grove Vale. Chst —3D 8
Guibal Rd. SE12 —4A 2
Guildford Rd. Croy —3C 12
Gulliver Rd. Sidc —6J 3
Gumping Rd. Orp —6F 17
Gundulph Rd. Brom —7K 7
Gunnell Clo. SE26 —1F 5
Gwydor Rd. Beck —7J 5
Gwydyr Rd. Brom —7G 7
Gwynne Av. Croy —4J 13

Hackington Cres. Beck —3B 6
Haddington Rd. Brom —1E 6
Haddon Rd. Orp —2B 18
Hadlow Pl. SE19 —4F 5
Hadlow Rd. Sidc —1K 9
Haig Rd. Big H —6G 27
Haileybury Rd. Orp —1K 23
Haimo Rd. SE9 —2C 2
Hainault St. SE9 —5G 3
Hainthorpe Rd. SE27 —1A 4
Hale Clo. Orp —1F 23
Hale Path. SE27 —1A 4
Halfway St. Sidc —4J 3
Halifax St. SE26 —1G 5
Hallam Clo. Chst —2C 8
Hall Dri. SE26 —2H 5
Hall View. SE9 —6C 2
Halons Rd. SE9 —4F 3
Halstead La. Knock —4J 29
Hambledon Gdns. SE25 —7E 4
Hambledown Rd. Sidc —4J 3
Hambro Av. Brom —5H 15
Hambrook Rd. SE25 —7G 5
Hamilton Rd. SE27 —1C 4
Hamilton Rd. Sidc —1K 9
Hamilton Rd. T Hth —7C 4

Hamilton Rd. Ind. Est. SE27
—1C 4
Hamlet Rd. SE19 —4E 4
Hamlyn Gdns. SE19 —4D 4
Hammelton Rd. Brom —5G 7
Hampden Av. Beck —6K 5
Hampden Rd. Beck —6K 5
Hampton Rd. Croy —3B 12
Ham View. Croy —3K 13
Hanbury Dri. Big H —2D 26
Hanbury Wlk. Bex —1K 11
Hancock Rd. SE19 —3C 4
Handcroft Rd. Croy —4A 12
Hangrove Hill. Orp —2K 27
Hanley Pl. Beck —4B 6
Hannah Clo. Beck —7D 6
Hannen Rd. SE27 —1A 4
Hanover Dri. Chst —1F 9
Hanover St. Croy —7A 12
Hanson Clo. Beck —3C 6
Harbledown Pl. St M —1B 18
Harborough Av. Sidc —4K 3
Hardcastle Clo. Croy —3F 13
Hardcourts Clo. W Wick
—7C 14
Hardings La. SE20 —3J 5
Hares Bank. New Ad —6E 20
Harland Av. Croy —7F 13
Harland Av. Sidc —7J 3
Harland Rd. SE12 —5A 2
Harlands Gro. Orp —1E 22
Harleyford. Brom —5K 7
Harley Gdns. Orp —1H 23
Harman Dri. Sidc —3K 3
Harold Rd. SE19 —4C 4
Harriet Gdns. Croy —6F 13
Harrington Rd. SE25 —1G 13
Harrisons Rise. Croy —7A 12
Harrow Gdns. Orp —1A 24
Harrow Rd. Knock —4J 29
Hart Dyke Cres. Swan
—7J 11
Hart Dyke Rd. Orp —6C 18
Hart Dyke Rd. Swan —7J 11
Hartfield Cres. W Wick
—7H 15
Hartfield Gro. SE20 —5G 5
Hartfield Rd. W Wick —1H 21
Harting Rd. SE9 —7D 2
Hartland Way. Croy —7K 13
Hartley Clo. Brom —6C 8
Hartley Rd. Croy —4B 12
Hartley Rd. W'ham —7J 31
Harton Clo. Brom —5A 8
Harts Croft. Croy —5A 20
Hartsmead Rd. SE9 —6E 2
Harvel Clo. Orp —7K 9
Harvest Bank Rd. W Wick
—7G 15
Harvest Way. Swan —4J 19
Harvill Rd. Sidc —2D 10
Harvst Way. Swan —5H 11
Harwood Av. Brom —6J 7
Haseltine Rd. SE26 —1A 6
Haslemere Rd. T Hth —2A 12
Hassock Wood. Kes —1A 22
Hassop Wlk. SE9 —1B 8
Hastings Rd. Brom —5B 16
Hastings Rd. Croy —5E 12
Hathaway Clo. Brom —5C 16
Hathaway Rd. Croy —4A 12
Hatherley Rd. Sidc —1K 9
Hathern Gdns. SE9 —1D 8
Hatton Rd. Croy —5A 12
Havelock Rd. Brom —1K 15
Havelock Rd. Croy —6E 12
Haven Clo. SE9 —7E 2
Haven Clo. Sidc —3B 10
Haven Clo. Swan —6H 11
Haven Ct. Beck —6D 6
Haverstock Rd. Orp —6A 10
(off Cotmandene Cres.)
Haverthwaite Rd. Orp —6G 17
Havisham Pl. SW16 & SE19
—3A 4
Hawes La. W Wick —5D 14

Hawes Rd. Brom —5J 7
(in two parts)
Hawfield Bank. Orp —7C 18
Hawke Rd. SE19 —3C 4
Hawkhurst Way. W Wick
—6C 14
Hawkinge Wlk. Orp —7A 10
Hawksbrook La. Beck
—3C 14
Hawkshead Clo. Brom —4F 7
Hawkwood La. Chst —7F 9
Hawstead La. Orp —2E 24
Hawthordene Rd. Beck
—6G 15
Hawthorn Av. Big H —4F 27
Hawthorn Clo. Orp —3G 17
Hawthorndene Clo. Brom
—6G 15
Hawthorndene Rd. Brom
—6G 15
Hawthorn Dri. W Wick
—1F 21
Hawthorne Av. Mitc —5A 4
Hawthorne Clo. Brom —7C 8
Hawthorne Rd. Brom —7C 8
Hawthorn Gro. SE20 —5G 5
Haxted Rd. Brom —5J 7
Haydens Clo. Orp —3B 18
Hayes Chase. W Wick
—3E 14
Hayes Clo. Brom —6H 15
Hayesford Pk. Dri. Brom
—2G 15
Hayes Garden. Brom —5H 15
Hayes Hill. Brom —5F 15
Hayes Hill Rd. Brom —5G 15
Hayes La. Beck —7D 6
Hayes La. Brom —2H 15
Hayes Mead Rd. Brom
—5F 15
Hayes Rd. Brom —1H 15
Hayes St. Brom —5J 15
Hayes Way. Beck —1D 14
Hayes Wood Av. Brom
—5J 15
Hayfield Rd. Orp —2K 17
Hayne Rd. Beck —6A 6
Haynes La. SE19 —3D 4
Haysleigh Gdns. SE20 —6F 5
Haywood Rise. Orp —2H 23
Haywood Rd. Brom —1A 16
Hazel Bank. SE25 —6D 4
Hazel Clo. Croy —4J 13
Hazel End. Swan —2K 19
Hazel Gro. SE26 —1J 5
Hazel Gro. Orp —6E 16
Hazelhurst. Beck —5E 6
Hazelmere Rd. Orp —1F 17
Hazelmere Way. Brom
—3H 15
Hazel Wlk. Brom —3D 16
Hazelwood Houses. Short
—7F 7
Hazelwood Rd. Cud —1B 28
Hazledean Rd. Croy —6C 12
Headcorn Rd. Brom —2G 7
Headley Ct. SE26 —2H 5
Healy Dri. Orp —1B 24
Hearn's Clo. Orp —1B 18
Hearn's Rise. Orp —1C 18
Hearn's Rd. Orp —1B 18
Heath Clo. Orp —4B 18
Heathclose. Swan —6K 11
Heatherbank. Chst —6D 8
Heather End. Swan —1J 19
Heather Rd. SE12 —5A 2
Heathfield. Chst —3F 9
Heathfield Clo. Kes —2K 21
Heathfield Cotts. Swan
(off London Rd.) —6J 11
Heathfield Rd. SE20 —4H 5
Heathfield Gdns. Croy
—7C 12
Heathfield La. Chst —3E 8
Heathfield Pde. Swan —6H 11

Heathfield Rd. Brom —4G 7
Heathfield Rd. Croy —7C 12
Heathfield Rd. Kes —2K 21
Heath Gro. SE20 —4H 5
Heath Ho. Sidc —1J 9
Heathley End. Chst —3F 9
Heath Pk. Dri. Brom —7B 8
Heath Rise. Brom —3G 15
Heath Rd. T Hth —7B 4
Heathside. Orp —4G 17
Heathway. Croy —6A 14
Heathwood Gdns. Swan
—6H 11
Hedge Wlk. SE6 —1C 6
Heights, The. Beck —4D 6
Henderson Rd. Big H —1E 26
Henderson Rd. Croy —3C 12
Heneage Cres. New Ad
—6D 20
Hengist Rd. SE12 —4A 2
Hengist Way. Brom —1F 15
Hennel Clo. SE23 —1H 5
Henry Cooper Way. SE9
—7C 2
Henry St. Brom —5J 7
Hensford Gdns. SE26 —1G 5
Henson Clo. Orp —6E 16
Henville Rd. Brom —5J 7
Henwick Rd. SE9 —1D 2
Hepburn Gdns. Brom —5F 15
Herbert Rd. Brom —2A 16
Heritage Hill. Kes —2K 21
Hermitage Gdns. SE19
—4B 4
Hermitage La. SE25 —3F 13
(in two parts)
Hermitage La. Croy & SE25
—4F 13
Hermitage Rd. SE19 —4B 4
Heron Ct. Brom —1K 15
Heron Cres. Sidc —7K 3
Herongate Rd. Swan —3K 11
Heron Rd. Croy —6D 12
Herron Ct. Short —1G 15
Hesiers Hill. Warl —6A 26
Hesiers Rd. Warl —6A 26
Hetley Gdns. SE19 —4E 4
Hever Croft. SE9 —1D 8
Hever Gdns. Brom —6D 8
Hewett Pl. Swan —1J 19
Hewitts Rd. Orp —4E 24
Highams Hill. Warl —1C 26
Highbarrow Rd. Croy —5F 13
High Beeches. Orp —3K 23
High Beeches. Sidc —2D 10
High Broom Cres. W Wick
—4C 14
Highbury Av. T Hth —6C 4
Highbury Clo. W Wick
—6C 14
Highclere St. SE26 —1K 5
Highcombe Clo. SE9 —5C 2
High Elms Rd. Dow —7D 22
Highfield Av. Orp —2J 23
Highfield Dri. Brom —1F 15
Highfield. W Wick
—6C 14
Highfield Hill. SE19 —4C 4
Highfield Rd. Big H —6E 26
Highfield Rd. Brom —1C 16
Highfield Rd. Chst —7J 9
High Firs. Swan —1K 19
High Gables. Brom —6F 7
Highgate Ho. SE26 —1F 5
High Gro. Brom —5A 8
Highgrove Clo. Chst —5B 8
Highgrove Ct. Beck —4B 6
High Hill Rd. Warl —3A 26
Highland Croft. Beck —2C 6
Highland Rd. SE19 —3D 4
Highland Rd. Badg M
—6G 15
Highland Rd. Brom —5G 7
Highlands Rd. SE19 —3D 4
Highlands Rd. Orp —4A 18
High Level Dri. SE26 —1F 5

High Mead. W Wick —6E 14
High Point. SE19 —7G 3
High St. Beckenham, Beck
—6B 6
High St. Bromley, Brom
—6H 7
High St. Chislehurst, Chst
—3E 8
High St. Croydon, Croy
—7B 12
High St. Downe, Dow
—7D 22
High St. Farnborough, F'boro
—2E 22
High St. Green Street Green,
Grn St —4J 23
High St. Orpington, Orp
—5K 17
High St. Penge, SE20 —3H 5
High St. South Norwood,
SE25 —1E 12
High St. St Mary Cray, St M
—3B 18
High St. Thornton Heath,
T Hth —1B 12
High St. West Wickham,
W Wick —5C 14
High Tor Clo. Brom —4J 7
High Trees. Croy —6K 13
High View Clo. SE19 —6E 4
High View Rd. Dow —6D 22
High View Rd. Sidc —1A 10
Highway, The. Orp —2B 24
Highwood. Short —7F 7
Highwood Clo. Orp —6F 17
Highwood Dri. Orp —6F 17
Hilborough Way. Orp —2G 23
Hilda May Av. Swan —6K 11
Hilda Vale Clo. Orp —1E 22
Hilda Vale Rd. Orp —1D 22
Hildenborough Gdns. Brom
—3F 7
Hildenborough Ho. Beck
—4A 6
(off Bethersden Clo.)
Hildenlea Pl. Brom —6F 7
Hill Brow. Brom —5A 8
Hill Brow Clo. Bex —1J 11
Hillbrow Rd. Brom —4F 7
Hill Clo. Chst —2E 8
Hillcrest Clo. SE26 —1F 5
Hillcrest Clo. Beck —3A 14
Hillcrest Rd. Big H —5F 27
Hillcrest Rd. Brom —2H 7
Hillcrest Rd. Orp —6K 17
Hillcrest View. Beck —3A 14
Hilldown Rd. Brom —5F 15
Hilldrop Rd. Brom —3J 7
Hill End. Orp —6J 17
Hillingdale. Big H —7D 26
Hillmore Gro. SE26 —2K 5
Hillside La. Brom —6G 15
(in two parts)
Hillside Rd. Brom —7G 7
Hillside Rd. Croy —7A 12
Hillside Rd. Tats —1D 30
Hillside, The. Orp —5A 24
Hilltop Gdns. Orp —6H 17
Hill View Cres. Orp —5J 17
Hillview Rd. Chst —2D 8
Hill View Rd. Orp —5H 17
Hillworth. Beck —6C 6
Hinton Clo. SE9 —5D 2
Hitherwood Dri. SE19 —1E 4
Hobart Gdns. T Hth —7C 4
Hobbs Rd. SE27 —1B 4
Hoblands End. Chst —3H 9
Hockenden La. Swan —7F 11
Hodsoll Ct. Orp —2C 18
Hodson Cres. Orp —2C 18
Hoever Rd. SE6 —1D 6
Hogarth Ct. SE19 —1E 4
Hogarth Cres. Croy —4B 12
Holbeach Gdns. Sidc —3K 3
Holbrook Ho. Chst —5G 9

Holbrook La. Chst —4G 9
Holbrook Way. Brom —3C 16
Holderness Way. SE27
—2A 4
Holland Clo. Brom —6G 15
Holland Dri. SE23 —1K 5
Holland Rd. SE25 —2F 13
Holland Way. Brom —6G 15
Hollies Av. Sidc —6K 3
Hollies Clo. SW16 —3A 4
Holligrave Rd. Brom —5H 7
Hollington Ct. Chst —3E 8
Hollingworth Rd. Orp —4E 16
Hollman Gdns. SW16 —3A 4
Hollybrake Clo. Chst —4G 9
Holly Bush La. Orp —3F 25
Holly Cres. Beck —2A 14
Hollydale Dri. Brom —7C 16
Holly Rd. Orp —4K 23
Hollytree Av. Swan —6K 11
Hollywoods. Croy —5A 20
Holmbury Gro. Croy —4A 20
Holmbury Mnr. Sidc —1K 9
Holmbury Pk. Brom —4B 8
Holmcroft Way. Brom
—2C 16
Holmdale Rd. Chst —2F 9
Holmdene Clo. Beck —6D 6
Holmesdale Clo. SE25 —7E 4
Holmesdale Rd. Croy & SE25
—2C 12
Holmewood Rd. SE25 —7D 4
Holmshaw Clo. SE26 —1K 5
Holwood Pk. Av. Croy —1C 22
Homecroft Rd. SE26 —2J 5
Homefield Clo. St P —1A 18
Homefield Clo. Swan —7K 11
Homefield Rise. Orp —5K 17
Homefield Rd. Brom —5K 7
Homelands Dri. SE19 —4D 4
Home Lea. Orp —2J 23
Homemead Rd. Brom
—2C 16
Homer Rd. Croy —3J 13
Homesdale Rd. Brom —1K 15
Homesdale Rd. Orp —4H 17
Homestead Rd. Orp —4A 24
Homestead Way. New Ad
—7D 20
Homewood Cres. Chst —3H 9
Homildon Ho. SE26 —1F 5
Honeybourne Way. Orp
—5G 17
Honeyden Rd. Sidc —3D 10
Honeysuckle Gdns. Croy
—4J 13
Hood Av. Orp —2A 18
Hood Clo. Croy —5A 12
Hook Farm Rd. Brom —2A 16
Hook La. Well —2K 3
Hookwood Cotts. Prat B
—7B 24
Hookwood Rd. Orp —7B 24
Hope Clo. SE12 —7A 2
Hope Ct. SE12 —7A 2
Hope Pk. Brom —4G 7
Hopton Ct. Hayes —5H 15
Horizon Ho. Swan —1K 19
Horley Rd. SE9 —1B 8
Hornbeam Way. Brom
—3D 16
Horncastle Rd. SE12 —4A 2
Horning Clo. SE9 —1B 8
Hornpark Clo. SE12 —2A 2
Hornpark La. SE12 —2A 2
Horsa Rd. SE12 —4B 2
Horsecroft Clo. Orp —5A 18
Horsell Rd. Orp —5A 10
Horsfeld Gdns. SE9 —2D 2
Horsfeld Rd. SE9 —2C 2
Horsley Dri. New Ad —4D 20
Horsley Rd. Brom —5J 7
Horsmonden Clo. Orp
—4J 17
Horton Pl. W'ham —7J 31

Hortons Way. W'ham —7J **31**
(in two parts)
Hoser Av. SE12 —6A **2**
Howard Rd. SE20 —5H **5**
Howard Rd. SE25 —2F **13**
Howard Rd. Brom —4H **7**
Howards Crest Clo. Beck
—6D **6**
Howberry Rd. T Hth —5C **4**
Howden Rd. SE25 —6E **4**
Howley Rd. Croy —7A **12**
Hubbard Rd. SE27 —1B **4**
Hughes Rd. SE20 —4G **5**
Hughes Wlk. Croy —4B **12**
Hunter Rd. T Hth —7C **4**
Hunters Gro. Orp —1E **22**
Hunters Meadow. SE19
—1D **4**
Hunters Wlk. Knock —3J **29**
Huntingfield. Croy —4A **20**
Huntly Rd. SE25 —1D **12**
Huntsmead Clo. Chst —5C **8**
Hurlstone Rd. SE25 —2D **12**
Hurst Clo. Brom —5G **15**
Hurstdene Av. Brom —5G **15**
Hurstfield. Brom —2H **15**
Hurstwood Dri. Brom —7C **8**
Husseywell Cres. Brom
—5H **15**
Hutchinsons Rd. New Ad
—7D **20**
Hyde Dri. St P —7A **10**
Hyndewood. SE23 —1J **5**
Hythe Clo. St M —1B **18**
Hythe Rd. T Hth —6C **4**

Ickleton Rd. SE9 —1B **8**
Iden Clo. Brom —7F **7**
Ightham Ho. Beck —4A 6
(off Bethersden Clo.)
Ilex Way. SW16 —2A **4**
Ilfracombe Rd. Brom —1G **7**
Ilkley Clo. SE19 —3C **4**
Impact Ct. SE20 —6G **5**
Imperial Way. Chst —1F **9**
Inca Dri. SE9 —4G **3**
Inchwood. Croy —1C **20**
Ingatestone Rd. SE25
—1G **13**
Ingleby Way. Chst —2D **8**
Inglenorth Ct. Swan —3H **19**
Ingleside Clo. Beck —4B **6**
Inglewood. Croy —5A **20**
Inglewood. Swan —6K **11**
Inglewood Copse. Brom
—6B **8**
Inglis Rd. Croy —5E **12**
Ingram Rd. T Hth —5B **4**
Innis Yd. Croy —7B **12**
Invicta Clo. Chst —2D **8**
Invicta Pde. Sidc —1A **10**
Inwood Clo. Croy —6K **13**
Irene Rd. Orp —4J **17**
Iris Clo. Croy —5J **13**
Irvine Way. Orp —4J **17**
Irving Way. Swan —6J **11**
Isabella Dri. Orp —1F **23**
Isard Ho. Hayes —5J **15**
Islehurst Clo. Chst —5D **8**
Iveagh Ct. Beck —7D **6**
Ivers Way. New Ad —4C **20**
Ivor Gro. SE9 —5G **3**
Ivorydown. Brom —1H **7**
Ivybridge Ct. Chst —5D 8
(off Old Hill)
Ivychurch Clo. SE20 —4H **5**
Ivy La. Knock —5J **29**
Ivymount Rd. SE27 —1A **4**

Jackass La. Kes —2J **21**
Jackson Rd. Brom —6C **16**
Jacksons Pl. Croy —5D **12**
Jaffray Pl. SE27 —1A **4**
Jaffray Rd. Brom —1A **16**

Jail La. Big H —4F **27**
Jamaica Rd. T Hth —3A **12**
Jasmine Clo. Orp —6E **16**
Jasmine Gdns. Croy —7C **14**
Jasmine Gro. SE20 —5G **5**
Jason Wlk. SE9 —1D **8**
Jasper Pas. SE19 —3E **4**
Jasper Rd. SE19 —2E **4**
Jay Gdns. Chst —1C **8**
Jeffery. Sidc —2A **10**
Jeffrey Row. SE12 —2A **2**
Jeken Rd. SE9 —1B **2**
Jenson Way. SE19 —4E **4**
Jersey Dri. Orp —3G **17**
Jerviston Gdns. SW16 —3A **4**
Jesmond Rd. Croy —4E **12**
Jevington Way. SE12 —5A **2**
Jewels Hill. Big H —1C **26**
Jews Wlk. SE26 —1G **5**
Joan Cres. SE9 —4C **2**
Joe Hunte Ct. SE27 —2A **4**
John Baird Ct. SE26 —1H **5**
Johnson Rd. Brom —2A **16**
Johnson Rd. Croy —4C **12**
Johnson's Av. Badg M
—6G **25**
John's Rd. Tats —2C **30**
John's Ter. Croy —5D **12**
John St. SE25 —1F **13**
Joydens Wood Rd. Bex
—1J **11**
Jubilee Rd. Orp —3F **25**
Jug Hill. Big H —5F **27**
Juglans Rd. Orp —5K **17**
Julian Rd. Orp —3K **23**
Juniper Clo. Big H —6G **27**
Juniper Wlk. Swan —6J **11**

Kangley Bri. Rd. SE26 —2A **6**
Kangley Bus. Cen. SE26
—2A **6**
Karen Ct. Brom —5G **7**
Katharine Clo. Croy —7B **12**
Katherine Gdns. SE9 —1C **2**
Keats Way. Croy —3H **13**
Kechill Gdns. Brom —4H **15**
Kedleston Dri. Orp —2J **17**
Keedonwood Rd. Brom
—2F **7**
Keeley Rd. Croy —6B **12**
Keeling Rd. SE9 —2C **2**
Keens Rd. Croy —7B **12**
Keightley Dri. SE9 —5H **3**
Keith Pk. Cres. Big H
—1D **26**
Kelby Path. SE9 —7G **3**
Kelling Gdns. Croy —4A **12**
Kelling Rd. SE9 —2C **2**
Kelsey Ga. Beck —6C **6**
Kelsey La. Beck —6B **6**
Kelsey Pk. Av. Beck —6C **6**
Kelsey Pk. Rd. Beck —6B **6**
Kelsey Rd. Orp —6A **10**
Kelsey Sq. Beck —6B **6**
Kelsey Way. Beck —7B **6**
Kelvin Gro. SE26 —1G **5**
Kelvington Clo. Croy —4K **13**
Kelvin Pde. Orp —5H **17**
Kemble Dri. Brom —7B **16**
Kemble Rd. Croy —7A **12**
Kembleside Rd. Big H
—7E **26**
Kemerton Rd. Beck —6C **6**
Kemerton Rd. Croy —4E **12**
Kemnal Rd. Chst —4F **9**
Kemp Gdns. Croy —3B **12**
Kempton Wlk. Croy —3K **13**
Kemsing Clo. Brom —6G **15**
Kemsing Clo. T Hth —1B **12**
Kemsley Rd. Tats —1C **30**
Kendale Rd. Brom —2F **7**
Kendal Ho. SE20 —6G 5
(off Derwent Rd.)
Kendall Av. Beck —6K **5**
Kendall Rd. Beck —6K **5**

Kenilworth Rd. SE20 —5J **5**
Kenilworth Rd. Orp —3F **17**
Kenley Clo. Chst —7H **9**
Kenley Gdns. T Hth —1A **12**
Kennedy Rd. Orp —5G **17**
Kennedy Ct. Beck —3A **14**
Kennedy Ct. Croy —3A **14**
Kennel Wood Cres. New Ad
—7E **20**
Kensington Av. T Hth —5A **4**
Kent Clo. Orp —3H **23**
Kent Ga. Way. Croy —3A **20**
Kent Ho. La. Beck —2K **5**
Kent Ho. Rd. SE26 & Beck
—2K **5**
Kentish Way. Brom —6H **7**
Kentone Ct. SE25 —1G **13**
Kent Rd. St M —3B **18**
Kent Rd. W Wick —5C **14**
Kenward Rd. SE9 —2B **2**
Kenwood Dri. Beck —7D **6**
Kersey Gdns. SE9 —1B **8**
Keston Av. Kes —2K **21**
Keston Gdns. Kes —1K **21**
Keston Pk. Clo. Kes —7C **16**
Kestrel Way. New Ad —5E **20**
Keswick Ct. Short —1G **15**
Keswick Rd. Orp —5J **17**
Keswick Rd. W Wick —6F **15**
Kettlewell Ct. Swan —6K **11**
Kevington Clo. Croy —4K **13**
Kevington Clo. Orp —1J **17**
Kevington Dri. Chst & St M
—1J **17**
Keymer Clo. Big H —5E **26**
Keynsham Gdns. SE9 —2C **2**
Keynsham Rd. SE9 —2C **2**
Kidbrooke La. SE9 —1D **2**
Kidderminster Rd. Croy
—5A **12**
Killewarren Way. Orp
—3B **18**
Killigarth Ct. Sidc —1K **9**
Kilmartin Av. SW16 —7A **4**
Kilnfields. Orp —3F **25**
Kilnwood. Hals —2K **29**
Kimberely Rd. Beck —6J **5**
Kimberley Ga. Brom —4F **7**
Kimberley Rd. Beck —6J **5**
Kimberley Rd. Croy —3A **12**
Kimmeridge Gdns. SE9
—1B **8**
Kimmeridge Rd. SE9 —1B **8**
King Alfred Av. SE6 —1B **6**
(in two parts)
King and Queen Clo. SE9
—1B **8**
Kingcup Clo. Croy —4J **13**
Kingfisher Clo. Orp —1C **18**
Kingfisher Way. Beck
—2J **13**
King George VI Av. Big H
—5F **27**
King Henry M. Orp —2J **23**
King Henry's Dri. New Ad
—5C **20**
King John's Wlk. SE9 —5C **2**
Kingsand Rd. SE12 —6A **2**
Kings Av. Brom —3G **7**
Kingscote Rd. Croy —4G **13**
Kingsdale Rd. SE20 —4J **5**
Kingsdown Way. Brom
—3H **15**
Kingsgate Clo. Orp —6B **10**
Kingsground. SE9 —4C **2**
Kings Hall Rd. Beck —4K **5**
Kingsholm Gdns. SE9 —1C **2**
Kingshurst Rd. SE12 —4A **2**
Kings Keep. Brom —7F **7**
Kingsleigh Wlk. Brom
—1G **15**
Kingsley Rd. Orp —4J **23**
Kingsley Wood Dri. SE9
—7E **2**
Kingslyn Cres. SE19 —6D **4**
Kingsmead. Big H —5F **27**

Kingsmead Cotts. Brom
—5B **16**
King's Orchard. SE9 —3D **2**
Kings Rd. SE25 —7F **5**
Kings Rd. Big H —5E **26**
King's Rd. Orp —1J **23**
Kingsthorpe Rd. SE26 —1J **5**
Kingston Cres. Beck —5A **6**
Kingston Sq. SE19 —2C **4**
Kingsway. Orp —2G **17**
Kingsway. W Wick —7F **15**
Kingswood Av. Brom —1F **15**
Kingswood Av. T Hth
—2A **12**
Kingswood Clo. Orp —4G **17**
Kingswood Dri. SE19 —1D **4**
Kingswood Est. SE21 —1D **4**
Kingswood Rd. SE20 —3H **5**
Kingswood Rd. Brom
—1E **14**
Kingsworth Clo. Beck
—2K **13**
King William IV Gdns. SE20
—3H **5**
Kinnaird Av. Brom —3G **7**
Kinnaird Clo. Brom —3G **7**
Kinver Rd. SE26 —1H **5**
Kippington Dri. SE9 —5C **2**
Kirkdale. SE26 —1G **5**
Kirkland Clo. Sidc —3K **3**
Kirkstone Way. Brom —4F **7**
Kirtley Rd. SE26 —1K **5**
Kitchener Rd. T Hth —7C **4**
Kitley Gdns. SE19 —5E **4**
Kittiwake Clo. S Croy —6A **20**
Knighton Pk. Rd. SE26
—2J **5**
Knights Hill. SE27 —2A **4**
Knights Hill Sq. SE27 —1A **4**
Knights Ridge. Orp —2A **24**
Knockholt Main Rd. Knock
—7D **28**
Knockholt Rd. SE9 —2C **2**
Knockholt Rd. Hals —3K **29**
Knole Clo. Croy —3H **13**
Knole Ga. Sidc —3K **9**
Knole, The. SE9 —1D **8**
Knoll Rise. Orp —5J **17**
Knoll Rd. Sidc —2A **10**
Knoll, The. Beck —5C **6**
Knoll, The. Brom —5H **15**
Knowle Rd. Brom —6C **16**
Knowlton Grn. Brom —2G **15**
Koonowla Clo. Big H —4F **27**
Kydbrook Clo. Orp —4F **17**
Kynaston Av. T Hth —2B **12**
Kynaston Cres. T Hth
—2B **12**
Kynaston Rd. Brom —2H **7**
Kynaston Rd. Orp —4A **18**
Kynaston Rd. T Hth —2B **12**

Laburnum Av. Swan —7J **11**
Laburnum Ct. SE19 —5E **4**
Laburnum Gdns. Croy
—5J **13**
Laburnum Ho. Brom —5F **7**
Laburnum Way. Brom
—4D **16**
Ladas Rd. SE27 —1B **4**
Ladbrooke Cres. Sidc
—1C **10**
Ladbrook Rd. SE25 —1C **12**
Ladds Way. Swan —1J **19**
Ladycroft Gdns. Orp —2F **23**
Ladycroft Way. Orp —2F **23**
Ladygrove. Croy —5A **20**
Ladysmith Rd. SE9 —3F **3**
Ladywood Av. Orp —2H **17**
Lagoon Rd. Orp —2B **18**
Lake Av. Brom —3H **7**
Lakehall Gdns. T Hth —2A **12**
Lakehall Rd. T Hth —2A **12**
Lake Rd. Croy —6A **14**
Lakeside. Beck —7C **6**

Lakeside Clo. SE25 —6F **5**
Lakeside Dri. Brom —7B **16**
Lakes Rd. Kes —2K **21**
Lakeswood Rd. Orp —3F **17**
Lakeview Rd. SE27 —2A **4**
Lambarde Av. SE9 —1D **8**
Lambardes Clo. Prat B
—7B **24**
Lamberhurst Clo. Orp
—5C **18**
Lamberhurst Rd. SE27
—1A **4**
Lambert Clo. Big H —5F **27**
Lambert's Pl. Croy —5C **12**
Lambeth Rd. Croy —5A **12**
Lambscroft Av. SE9 —7B **2**
Lamerock Rd. Brom —1G **7**
Lamorbey Clo. Sidc —5K **3**
Lamorna Clo. Orp —4K **17**
Lancaster Clo. Brom —1G **15**
Lancaster Rd. SE25 —6E **4**
Lancing Rd. Orp —6K **17**
Landway, The. Orp —7B **10**
Laneside. Chst —2F **9**
Langdale Clo. Orp —7E **16**
Langdale Rd. T Hth —1A **12**
Langdon Rd. Brom —7J **7**
Langdon Shaw. Sidc —2J **9**
Langford Pl. Sidc —1K **9**
Langland Gdns. Croy
—6A **14**
Langley Gdns. Brom —1K **15**
Langley Gdns. Orp —3E **16**
Langley Rd. Beck —1K **13**
Langley Way. W Wick
—5E **14**
Langmead St. SE27 —1B **4**
Langton Way. Croy —7D **12**
Lankton Clo. Beck —5D **6**
Lannoy Rd. SE9 —5H **3**
Lansdowne Av. Orp —5E **16**
Lansdowne Pl. SE19 —4E **4**
Lansdowne Rd. Brom —4H **7**
Lansdowne Rd. Croy —6C **12**
Lansdown Rd. Sidc —1A **10**
Lapwing Clo. S Croy —6A **20**
Lapworth Clo. Orp —6B **18**
Larch Dene. Orp —6D **16**
Larch Ho. Brom —5F **7**
Larch Tree Way. Croy
—7B **14**
Larch Wlk. Swan —6J **11**
Larch Way. Brom —4D **16**
Larchwood Rd. SE9 —6G **3**
Larkbere Rd. SE26 —1K **5**
Larkfield Clo. Brom —6G **15**
Larkfield Rd. Sidc —7K **3**
Larkspur Clo. Orp —6B **18**
Larkspur Lodge. Sidc —1A **10**
Lassa Rd. SE9 —2D **2**
Latham Clo. Big H —5E **26**
Lathkill Ct. Beck —5A **6**
Latimer Rd. Croy —7A **12**
La Tourne Gdns. Orp —7F **17**
Laud St. Croy —7B **12**
Launcelot Rd. Brom —1H **7**
Laurel Clo. Sidc —1K **9**
Laurel Cres. Croy —7B **14**
Laurel Gro. SE20 —4H **5**
Laurel Gro. SE26 —1J **5**
Laurel Ho. Brom —5F **7**
Laurels, The. Brom —7H **7**
Laurier Rd. Croy —4E **12**
Lavender Hill. Swan —7J **11**
Lavender Way. Croy —3J **13**
Lavidge Rd. SE9 —6D **2**
Lawn Clo. Brom —3J **7**
Lawn Clo. Hex —6H **11**
Lawn Rd. Beck —4A **6**
Lawns, The. SE19 —5C **4**
Lawns, The. Sidc —1B **10**
Lawrence Rd. SE25 —1E **12**
Lawrence Rd. W Wick
—1H **21**
Lawrie Pk. Av. SE26 —2G **5**
Lawrie Pk. Cres. SE26 —2G **5**

Lawrie Pk. Gdns. SE26
—1G 5
Lawrie Pk. Rd. SE26 —3G 5
Laxey Rd. Orp —3J 23
Layard Rd. T Hth —6C 4
Layhams Rd. W Wick & Kes
—1F 21
Layzell Wlk. SE9 —5C 2
Leaf Gro. SE27 —2A 4
Leafield Clo. SW16 —3A 4
Leafield La. Sidc —1E 10
Leafy Gro. Kes —2K 21
Leafy Oak Rd. SE12 —1K 7
Leafy Way. Croy —6E 12
Leamington Av. Brom —2K 7
Leamington Av. Orp —1H 23
Leamington Clo. Brom
—1K 7
Lea Rd. Beck —6B 6
Leas Dale. SE9 —7F 3
Leas Grn. Chst —3J 9
Leaveland Clo. Beck —1B 14
Leaves Grn. Cres. Kes
—7K 21
Leaves Grn. Rd. Kes —7A 22
Lebanon Gdns. Big H —6F 27
Lebanon Rd. Croy —5D 12
Lebrun Sq. SE3 —1A 2
Ledrington Rd. SE19 —3F 5
Leeds Clo. Orp —6C 18
Lee Grn. Orp —2K 17
Leeson's Hill. Chst & St M
—7H 9
Leeson's Way. Orp —6J 9
Lees, The. Croy —6A 14
Leewood Pl. Swan —1J 19
Legatt Rd. SE9 —2C 2
Leicester Rd. Croy —4D 12
Leigh Cres. New Ad —4C 20
Leigh Ter. Orp —7A 10
Leighton St. Croy —5A 12
Leith Hill. Orp —5K 9
Leith Hill Grn. Orp —5K 9
Le May Av. SE12 —7A 2
Lemonwell Dri. SE9 —3H 3
Lenham Rd. T Hth —6C 4
Lennard Av. W Wick —6F 15
Lennard Clo. W Wick —6F 15
Lennard Rd. SE20 & Beck
—3J 5
Lennard Rd. Brom —5C 16
Lennard Rd. Croy —5B 12
Lentmead Rd. Brom —1G 7
Leof Cres. SE6 —2C 6
Lescombe Clo. SE23 —1K 5
Lesley Clo. Swan —7J 11
Leslie Gro. Croy —5D 12
Leslie Pk. Rd. Croy —5D 12
Letchworth Clo. Brom
—2H 15
Letchworth Dri. Brom
—2H 15
Leveret Clo. New Ad —7E 20
Leverholme Gdns. SE9
—1D 8
Lewes Rd. Brom —6A 8
Lewis Rd. Sidc —1B 10
Leybourne Clo. Brom
—3H 15
Leyburn Gdns. Croy —6D 12
Leydenhatch La. Swan
—5H 11
Leyhill Clo. Swan —1K 19
Leysdown Rd. SE9 —6D 2
Lezayre Rd. Orp —3J 23
Lichlade Clo. Orp —1J 23
Liddon Rd. Brom —7K 7
Lilac Gdns. Croy —7B 14
Lilac Gdns. Swan —7J 11
Lila Pl. Swan —1K 19
Liburne Gdns. SE9 —2D 2
Liburne Rd. SE9 —2D 2
Lilian Barker Clo. SE12
—2A 2
Lillie Rd. Big H —7F 27
Lilliput Ct. SE12 —2A 2

Lime Ct. SE9 —6G 3
Lime Gro. Orp —6E 16
Lime Rd. Swan —7J 11
Limes Av. SE20 —4G 5
Limes Pl. Croy —4C 12
Limes Rd. Beck —6C 6
Limes Rd. Croy —4B 12
Limes, The. Kes —1B 18
Lime Tree Gro. Croy —7A 14
Lime Tree Wlk. W Wick
—1G 21
Lincoln Clo. SE25 —3F 13
Lincoln Grn. Rd. Orp —2J 17
Lincoln Rd. SE25 —7G 5
Lincoln Rd. Sidc —2A 10
Lincombe Rd. Brom —1G 7
Linden Av. T Hth —1A 12
Linden Clo. Orp —2J 23
Linden Ct. Sidc —1H 9
Lindenfield. Chst —6E 8
Linden Gro. SE26 —3H 5
Linden Leas. W Wick —6E 14
Lindens, The. New Ad
—3D 20
Lindfield Rd. Croy —3E 12
Lindsey Clo. Brom —7A 8
Lindway. SE27 —2A 4
Lingfield Cres. SE9 —1J 3
Linkfield. Hayes —3H 15
Links Rd. W Wick —5D 14
Links View Rd. Croy —7B 14
Links Way. Beck —3B 14
Link Way. Brom —4B 16
Linslade Rd. Orp —3K 23
Linton Glade. Croy —5A 20
(in two parts)
Linton Gro. SE27 —2A 4
Lionel Gdns. SE9 —2C 2
Lionel Rd. SE9 —2C 2
Lions Clo. SE9 —7C 2
Liskeard Clo. Chst —3F 9
Lit. Acre. Beck —7B 6
Lit. Birches. Sidc —6K 3
Lit. Bornes. SE21 —1D 4
Littlebrook Clo. Croy —3J 13
Little Ct. W Wick —6F 15
Littlejohn Rd. Orp —3K 17
Littlemede. SE9 —7E 2
Lit. Redlands. Brom —6B 8
Littlestone Clo. Beck —3B 6
Lit. Thrift. Orp —1F 17
Liverpool Rd. T Hth —7B 4
Livingstone Rd. T Hth —6C 4
Llewellyn Ct. SE20 —5H 5
Lloyds Way. Beck —2K 13
Lockesley Dri. Orp —3J 17
Lockie Pl. SE25 —7F 5
Lockwood Clo. SE26 —1J 5
Lodge Clo. Orp —5A 18
Lodge Cres. Orp —5A 18
Lodge Gdns. Beck —5A 14
Lodge La. New Ad —5B 20
Lodge Rd. Brom —4K 7
Lodge Rd. Croy —3A 12
Logs Hill. Chst —4B 8
Logs Hill Clo. Chst —5B 8
Lomas Clo. Croy —4D 20
Lomond Gdns. S Croy
—5H 11
London La. Brom —4G 7
London Rd. Brom —4G 7
London Rd. Croy —3A 12
London Rd. Hals —5E 24
London Rd. Swan —6H 11
(in four parts)
London Rd. W'ham —5H 31
Long Acre. Orp —6C 18
Longbury Clo. Orp —7A 10
Longbury Dri. Orp —7A 10
Longcroft. SE9 —7F 3
Longdon Wood. Kes —5B 16
Longdown Rd. SE6 —1B 6
Longfield. Brom —5G 7
Longheath Gdns. Croy
—2H 13

Longhill Rd. SE6 —1E 6
Longhurst Rd. Croy —3G 13
Longlands Pk. Cres. Sidc
—7K 3
Longlands Rd. Sidc —7K 3
Long La. Croy —3H 13
Longleat M. St M —1B 18
Longley Rd. Croy —4A 12
Longmead. Chst —6D 8
Longmead Ho. SE27 —2B 4
Long Meadow Clo. W Wick
—4D 14
Longmeadow Rd. Sidc —5K 3
Longton Av. SE26 —1F 5
Longton Gro. SE26 —1G 5
Lonsdale Clo. SE9 —7C 2
Lonsdale Rd. SE25 —1G 13
Loop Rd. Chst —3F 9
Loraine Ct. Chst —2E 8
Lorne Av. Croy —4J 13
Lorne Gdns. Croy —4J 13
Lotus Rd. Big H —7H 27
Lovelace Av. Brom —3D 16
Lovelace Grn. SE9 —1E 2
Love La. SE25 —7G 5
(in two parts)
Love La. Brom —7J 7
(off Elmfield Rd.)
Lovibonds Av. Orp —7E 16
Low Cross Wood La. SE21
—1E 4
Lwr. Addiscombe Rd. Croy
—5D 12
Lwr. Camden. Chst —4C 8
Lwr. Church St. Croy —6A 12
Lwr. Coombe St. Croy
—7B 12
Lwr. Drayton Pl. Croy
—6A 12
Lwr. Gravel Rd. Brom
—5B 16
Lower Rd. St M —3A 18
Lwr. Sydenham Ind. Est. SE26
—2A 6
Lownds Ct. Brom —6H 7
Loxley Clo. SE26 —2J 5
Loxwood Clo. Orp —6C 18
Lubbock Rd. Chst —4C 8
Lucas Ct. SE26 —2K 5
Lucas Rd. SE20 —3H 5
Lucerne Rd. Orp —5J 17
Lucerne Rd. T Hth —1B 12
Ludlow Clo. Brom —7H 7
Luffman Rd. SE12 —7A 2
Lullarook Clo. Big H —5E 26
Lullingstone Clo. Orp —4A 10
Lullingstone Cres. Orp —4K 9
Lullington Garth. Brom
—4F 7
Lullington Rd. SE20 —4F 5
Lulworth Rd. SE9 —6D 2
Lunar Clo. Big H —5F 27
Luna Rd. T Hth —7B 4
Lunham Rd. SE19 —3D 4
Lupin Clo. Croy —5J 13
Lupton Clo. SE12 —7A 2
Luscombe Ct. Short —6F 7
Lushington Rd. SE6 —1C 6
Lusted Hall La. Tats —2A 30
Luxfield Rd. SE9 —6D 2
Luxted Rd. Orp —1J 27
Lyall Av. SE21 —1D 4
Lych Ga. Rd. Orp —5K 17
Lyconby Gdns. Croy —4K 13
Lydd Clo. Sidc —7K 3
Lydstep Rd. Chst —1D 8
Lyme Farm Rd. SE12 —4J 1
Lymer Av. SE19 —2E 4
Lyminge Clo. Sidc —1J 9
Lynden Way. Swan —7H 11
Lyndhurst Clo. Croy —7E 12
Lyndhurst Clo. Orp —5J 17
Lyndhurst Rd. T Hth —1A 12
Lynmouth Rise. Orp —1A 18
Lynne Clo. Orp —3J 23
Lynstead Ct. Beck —6K 5

Lynsted Clo. Brom —6K 7
Lynsted Ct. Beck —6K 5
Lynsted Gdns. SE9 —1C 2
Lynton Av. Orp —1A 18
Lynwood Gro. Orp —4H 17
Lyoth Rd. Orp —6F 17
Lysander Way. Orp —7F 17
Lytchet Rd. Brom —4J 7

Maberley Cres. SE19 —4F 5
Maberley Rd. SE19 —5F 5
Maberley Rd. Beck —7J 5
McAuley Clo. SE9 —2F 3
Macclesfield Rd. SE25
—2H 13
Mace La. Cud —2B 28
Mackenzie Rd. Beck —6H 5
Madan Rd. W'ham —7J 31
Mada Rd. Orp —7G 16
Madeira Av. Brom —4F 7
Madeline Rd. SE20 —4F 5
Madison Gdns. Brom —7G 7
Maesmaur Rd. Tats —3C 30
Magdalen Gro. Orp —1A 24
Magnolia Dri. Big H —5F 27
Magpie Hall Clo. Brom
—3B 16
Magpie Hall La. Brom
—4B 16
Maidstone Rd. Sidc —3C 10
Mainridge Rd. Chst —1D 8
Main Rd. Big H —2E 26
Main Rd. Crock —3J 19
Main Rd. Orp —7B 10
Main Rd. Sidc —7J 3
Maitland Rd. SE26 —3J 5
Malan Clo. Big H —6G 27
Malcolm Clo. SE20 —4H 5
Malcolm Rd. SE25 —3F 13
Malcom Rd. SE25 —3F 13
Malden Av. SE25 —7G 5
Malibu Ct. SE26 —1G 5
Mallard Wlk. Beck —2J 13
Mallard Wlk. Sidc —3B 10
Malling Clo. Croy —3H 13
Malling Way. Brom —4G 15
Mallow Clo. Croy —5J 13
Mall, The. Brom —7H 7
Mall, The. Croy —6B 12
Mall, The. Swan —7K 11
Malmains Clo. Beck —1E 14
Malmains Way. Beck —1D 14
Maltby Clo. Orp —5K 17
Maltings, The. Orp —5J 17
Malvern Clo. SE20 —6F 5
Malvern Rd. Orp —1A 24
Malvern Rd. T Hth —1A 12
Malyons Rd. Swan —4K 11
Manchester Rd. T Hth —7B 4
Manning Rd. Orp —2C 18
Manor Brook. SE3 —1A 2
Manor Rd. W Wick —5C 14
Manorfields Clo. Chst —7J 9
Manor Gro. Beck —6C 6
Manor Pk. Chst —6G 9
Manor Pk. Clo. W Wick
—5C 14
Manor Pk. Rd. Chst —5F 9
Manor Pk. Rd. W Wick
—5C 14
Manor Pl. Chst —6G 9
Manor Rd. SE25 —1F 13
Manor Rd. Beck —6C 6
Manor Rd. Tats —2D 30
Manor Rd. W Wick —6C 14
Manor Way. SE3 —1A 2
Manor Way. Beck —6B 6
Manor Way. Brom —3B 16
Manor Way. Orp —1F 17
Mansfield Rd. Orp —4C 18
Mansfield Rd. Swan —3K 11
Manston Clo. SE20 —5H 5
Maple Clo. Orp —2G 17
Maple Clo. Swan —6K 11

Mapledale Av. Croy —6F 13
Mapledene. Chst —2F 9
Maplehurst. Brom —6F 7
Maple Leaf Clo. Big H
—5F 27
Maple Leaf Dri. Sidc —5K 3
Maple Rd. SE20 —5G 5
Maplethorpe Rd. T Hth
—1A 12
Mapleton Clo. Brom —3H 15
Marbrook Ct. SE12 —7B 2
Marcellina Way. Orp —7J 17
Mardell Rd. Croy —2J 13
Marden Av. Brom —3H 15
Marechal Neil Av. Sidc —7J 3
Marecal Niel Pde. Sidc
(off Main Rd.) —7J 3
Mares Field. Croy —7D 12
Margaret Gardner Dri. SE9
—6E 2
Marigold Way. Croy —5J 13
Marina Clo. Brom —7H 7
Marion Cres. Orp —2K 17
Marion Rd. T Hth —2B 12
Marke Clo. Kes —1B 22
Market Meadow. Orp —1B 18
Market Pde. Sidc —1C 14
Market Sq. Brom —6H 7
Market Way. W'ham —7J 31
Markfield. Croy —6A 20
(in two parts)
Markwell Clo. SE26 —1G 5
Marlborough Clo. Orp
—3J 17
Marlborough Rd. Brom
—1K 15
Marlings Clo. Chst —1H 17
Marlings Pk. Av. Chst
—1H 17
Marlow Clo. SE20 —7G 5
Marlowe Clo. Chst —3G 9
Marlowe Gdns. SE9 —3F 3
Marlow Rd. SE20 —7G 5
Maroons Way. SE6 —2B 6
Marriett Ho. SE6 —1D 6
Marsden Way. Orp —7J 17
Marsham Clo. Chst —2E 8
Marston Way. SE19 —4A 4
Martell Rd. SE21 —1C 4
Martindale Av. Orp —2K 23
Martins Clo. Orp —7C 10
Martins Clo. W Wick —6E 14
Martin's Rd. Brom —6G 7
Marton Clo. SE6 —1B 6
Marvels Clo. SE12 —6A 2
Marvels La. SE12 —6A 2
Marwell Clo. W Wick
—6G 15
Maryfield Clo. Bex —1K 11
Maryland Rd. T Hth —5A 4
Masefield View. Orp —7F 17
Masons Av. Croy —7B 12
Masons Hill. Brom —7J 7
Matfield Clo. Brom —2H 15
Matthews Gdns. New Ad
—7E 20
Maureen Ct. Beck —6H 5
Mavelstone Clo. Brom —5B 8
Mavelstone Rd. Brom —5A 8
Maxwell Gdns. Orp —7J 17
May Av. Orp —2A 18
Maybourne Clo. SE26 —3G 5
Maybury Clo. Orp —2E 16
Mayday Rd. T Hth —3A 12
Mayerne Rd. SE9 —2C 2
Mayeswood Rd. SE12 —1K 7
Mayfair Clo. Beck —5C 6
Mayfield Av. Orp —5J 17
Mayfield Clo. SE20 —5G 5
Mayfield Rd. Brom —2B 16
Mayford Clo. Beck —7J 5
Maylands Dri. Sidc —1C 10
Mayo Rd. Croy —2C 12
Mayow Rd. SE26 & SE23
—1J 5
Maypole Rd. Orp —2E 24

Mays Hill Rd. Brom —6F **7**
Maywood Clo. Beck —4C **6**
Meadow Av. Croy —3J **13**
Meadow Clo. SE6 —2B **6**
Meadow Clo. Chst —2E **8**
Meadowcroft. Brom —7C **8**
Meadow Rd. Brom —5F **7**
Meadows Ct. Sidc —3A **10**
Meadowside. SE9 —1B **2**
Meadows, The. Hals —2K **29**
Meadows, The. Orp —3B **24**
Meadow Stile. Croy —7B **12**
Meadow, The. Chst —3F **9**
Meadow View. Orp —7B **10**
Meadowview Rd. SE6 —2A **6**
Meadow View Rd. T Hth
—2A **12**
Meadow Way. Orp —7D **16**
Mead Pl. Croy —5B **12**
Mead Rd. Chst —3F **9**
Mead, The. Beck —5D **6**
Mead, The. W Wick —5E **14**
Meadvale Rd. Croy —4E **12**
Meadway. Beck —5D **6**
Mead Way. Brom —3G **15**
Mead Way. Croy —6K **13**
Meadway. Hals —2K **29**
Meadway, The. Orp —3A **24**
Meaford Way. SE20 —4G **5**
Meath Clo. Orp —2A **18**
Medway Clo. Croy —3H **13**
Meerbrook Rd. SE3 —1B **2**
Melanda Clo. Chst —2C **8**
Melbourne Clo. SE20 —4F **5**
Melbourne Clo. Orp —4H **17**
Melbury Clo. Chst —3C **8**
Meldrum Clo. Orp —3B **18**
Melfield Gdns. SE6 —1D **6**
Melfort Av. T Hth —7A **4**
Melfort Rd. T Hth —7A **4**
Mells Cres. SE9 —1C **8**
Melrose Av. SW16 —6A **4**
Melody Rd. Big H —7E **26**
Melrose Clo. SE12 —5A **2**
Melrose Cres. Orp —1G **23**
Melrose Rd. Big H —5E **26**
Melvin Rd. SE20 —5H **5**
Mendip Clo. SE26 —1H **5**
Menlo Gdns. SE19 —4C **4**
Merchland Rd. SE9 —5H **3**
Mere Clo. Orp —6D **16**
Mere End. Croy —4J **13**
Mere Side. Orp —6D **16**
Merewood Clo. Brom —6D **8**
Mereworth Clo. Brom
—2G **15**
Meriden Clo. Brom —4A **8**
Merifield Rd. SE9 —1B **2**
Merlewood Dri. Chst —5C **8**
Merlewood Pl. SE9 —3E **2**
Merlin Clo. Croy —7D **12**
Merlin Ct. Short —7G **7**
Merlin Gdns. Brom —1H **7**
Merlin Gro. Beck —1A **14**
Merrilees Rd. Sidc —4K **3**
Merrow Way. New Ad
—3D **20**
Merrydown Way. Chst —5B **8**
Merryhills Clo. Big H —5F **27**
Mersham Pl. SE20 —5G **5**
Mersham Rd. T Hth —7C **4**
Merton Gdns. Orp —2E **16**
Merton Rd. SE25 —2F **13**
Mervyn Av. SE9 —7H **3**
Messent Rd. SE9 —2B **2**
Messeter Pl. SE9 —3F **3**
Mews End. Big H —7F **27**
Mews, The. Sidc —1K **9**
Miall Wlk. SE26 —1K **5**
Michael Rd. SE25 —7D **4**
Mickleham Clo. Orp —6J **9**
Mickleham Rd. Orp —5J **9**
Mickleham Way. New Ad
—4E **20**
Middlefields. Croy —5A **20**
Middle Pk. Av. SE9 —3C **2**

Middle St. Croy —7B **12**
(in two parts)
Middleton Av. Sidc —3A **10**
Midfield Way. Orp —5A **10**
Midholm Rd. Croy —6K **13**
Midhurst. SE26 —3H **5**
Midhurst Av. Croy —4A **12**
Mildmay Pl. Shor —7K **25**
Milestone Rd. SE19 —3E **4**
Milking La. Brom —7A **22**
Milking La. Orp —1G **27**
Milk St. Brom —3J **7**
Millbrook Av. Well —1J **3**
Mill Brook Rd. St M —1B **18**
Millfield Cotts. Orp —1A **18**
Millfields Clo. St M —1A **18**
Mill Gdns. SE26 —1G **5**
Millhouse Pl. SE27 —1A **4**
Mill La. Orp —6D **22**
Mill Pl. Chst —5E **8**
Mill Vale. Brom —6G **7**
Mill View Gdns. Croy —7J **13**
Millwood Rd. Orp —7B **10**
Milne Gdns. SE9 —2D **2**
Milne Pk. E. New Ad —7E **20**
Milne Pk. W. New Ad —7E **20**
Milner Rd. T Hth —7C **4**
Milner Wlk. Sidc —1J **3**
Milton Av. Badg M —6G **25**
Milton Av. Croy —4C **12**
Milton Rd. Croy —4C **12**
Milverton Way. SE9 —1D **8**
Mimosa Clo. Orp —6B **18**
Minden Rd. SE20 —5G **5**
Minerva Clo. Sidc —7K **3**
Ministry Way. SE9 —6E **2**
Minshaw St. Sidc —1K **9**
Minshull Pl. Beck —4B **6**
Minster Dri. Croy —7D **12**
Minster Rd. Brom —4J **7**
Mint Wlk. Croy —7B **12**
Mirror Path. SE9 —7B **2**
Mistletoe Clo. Croy —5J **13**
Mitchell Rd. Orp —1J **23**
Mitchell Way. Brom —5H **7**
Mitre Clo. Brom —6G **7**
Moat Clo. Orp —3J **23**
Model Farm Clo. SE9 —7D **2**
Moffat Rd. T Hth —6B **4**
Moira Rd. SE9 —1E **2**
Molash Rd. Orp —1C **18**
Molescroft. SE9 —7H **3**
Moliner Ct. Beck —4B **6**
Monarch Cl. W Wick —1G **21**
Monarch Clo. W Wick
—1G **21**
Monarch M. SW16 —2A **4**
Monivea Rd. Beck —4A **6**
Monks Orchard Rd. Beck
—5B **14**
Monks Way. Beck —3B **14**
Monks Way. Orp —5F **17**
Mons Way. Brom —3B **16**
Montacute Rd. New Ad
—5D **20**
Montague Rd. Croy —5A **12**
Montague Ter. Brom —7G **7**
Montbelle Rd. SE9 —7G **3**
Montcalm Clo. Brom —3H **15**
Montgomery Clo. Sidc —3K **3**
Montrave Rd. SE20 —3H **5**
Montrose Av. Well —1J **3**
Montserrat Clo. SE19 —2C **4**
Moon Ct. SE12 —1A **2**
Moorcroft Gdns. Brom
—2B **16**
Mooreland Rd. Brom —4G **7**
Moore Rd. SE19 —3B **4**
Moorfield Rd. Orp —4K **17**
Moorhead Way. SE3 —1A **2**
Moorside Rd. Brom —1F **7**
Morello Clo. Swan —1J **19**
Moremead Rd. SE6 —1A **6**
Moreton Clo. Swan —6K **11**
Morgan Rd. Brom —4H **7**
Morland Av. Croy —5D **12**

Morland Rd. SE20 —3J **5**
Morland Rd. Croy —5D **12**
Morley Clo. Orp —6E **16**
Morley Ct. Short —1G **15**
Morley Rd. Chst —5F **9**
Mornington Av. Brom —7K **7**
Mornington Clo. Big H
—6F **27**
Morris Clo. Croy —3K **13**
Morris Clo. Orp —7H **17**
Morston Gdns. SE9 —1C **8**
Mortimer Rd. Big H —1E **26**
Mortimer Rd. Orp —5K **17**
Moselle Rd. Big H —7G **27**
Mosslea Rd. SE20 —3H **5**
(in two parts)
Mosslea Rd. Brom —2A **16**
Mosslea Rd. Orp —7F **17**
Mosul Way. Brom —3B **16**
Mosyer Dri. Orp —6C **18**
Mottingham Gdns. SE9
—5C **2**
Mottingham La. SE12 & SE9
—5B **2**
Mottingham Rd. SE9 —6D **2**
Mouchotte Clo. Big H
—1D **26**
Mound, The. SE9 —7F **3**
Mountacre Clo. SE26 —1E **4**
Mt. Arlington. Short —6F **7**
(off Park Hill Rd.)
Mountbatten Clo. SE19
—2D **4**
Mount Clo. Brom —5B **8**
Mount Ct. W Wick —6F **15**
Mt. Culver Av. Sidc —3C **10**
Mountfield Way. Orp —1B **18**
Mount Hill. Knock —6E **28**
Mounthurst Rd. Brom
—4G **15**
Mt. Pleasant. SE27 —1B **4**
Mt. Pleasant. Big H —6F **27**
Mountview Rd. Orp —4K **17**
(in two parts)
Mowbray Ct. SE19 —4E **4**
Mowbray Rd. SE19 —5E **4**
Mulberry Ho. Short —6F **7**
Mulberry La. Croy —5E **12**
Mulgrave Rd. Croy —7C **12**
Mungo Pk. Way. Orp
—4B **18**
Munnery Way. Orp —7D **16**
Murray Av. Brom —7J **7**
Murray Bus. Cen. St M
—7A **10**
Murray Rd. Orp —7A **10**
Mylis Clo. SE26 —1G **5**
Myrtle Rd. Croy —7B **14**

Napier Rd. SE25 —1G **13**
Napier Rd. Brom —1J **15**
Narrow Way. Brom —3B **16**
Naseby Ct. Sidc —1J **3**
Naseby Rd. SE19 —3C **4**
Nash Grn. Brom —3H **7**
Nash La. Kes —4H **21**
Natal Rd. T Hth —7C **4**
Naval Wlk. Brom —6H **7**
Nello James Gdns. SE27
—1C **4**
Nelson Clo. Big H —6G **27**
Nelson Clo. Croy —5A **12**
Nelson Pl. Sidc —1K **9**
Nelson Rd. Brom —1K **15**
Nelson Rd. Sidc —1K **9**
Nesbit Rd. SE9 —1C **2**
Nesbitt Sq. SE19 —4D **4**
Netley Clo. New Ad —4D **20**
Nettlefold Pl. SE27 —1A **4**
Nettlestead Clo. Beck —4A **6**
Neville Clo. Sidc —1J **9**
Neville Rd. Croy —4C **12**
New Barn La. W'ham & Cud
—7A **28**
New Barn Rd. Swan —5K **11**

Newbury Ct. Sidc —1J **9**
Newbury Rd. Brom —7H **7**
New Farm Av. Brom —1H **15**
Newgate. Croy —5B **12**
Newhaven Gdns. SE9 —1C **2**
Newhaven Rd. SE25 —2C **12**
Newing Grn. Brom —4A **8**
Newlands St. SE9 —3F **3**
Newlands Pk. SE26 —3H **5**
Newlands Wood. New Ad
—5A **20**
Newman Rd. Brom —5H **7**
Newmarket Grn. SE9 —4C **2**
New Mill Rd. Orp —5B **10**
Newnham Clo. T Hth —6B **4**
Newnhams Clo. Brom —7C **8**
New Pl. New Ad —3B **20**
Newports. Swan —4J **19**
New Rd. Hex —4K **11**
New Rd. Orp —4K **17**
New Rd. Hill. Kes & Orp
—5B **22**
Newstead Av. Orp —7G **17**
New St. Hill. Brom —2J **7**
Newton Ho. SE20 —5J **5**
New Years La. Knock
—5D **28**
Nibbs Clo. Swan —6J **11**
Nichol La. Brom —4H **7**
Nicholson Rd. Croy —5E **12**
Nicolson Rd. Orp —4C **18**
Niederwald Rd. SE26 —1K **5**
Nightingale Corner. Orp
—1C **18**
Nightingale Ct. Short —6F **7**
Nightingale La. Brom —6K **7**
Nightingale Rd. Orp —3F **17**
Nightingale Way. Swan
—7K **11**
Ninehams Rd. Tats —3B **30**
Ninhams Wood. Orp —1D **22**
Noel Ter. Sidc —1A **10**
Norbury Av. T Hth —6A **4**
Norbury Clo. SW16 —5A **4**
Norbury Cres. SW16 —6A **4**
Norbury Hill. SW16 —4A **4**
Norbury Rd. T Hth —6B **4**
Norfield Rd. Dart —1H **11**
Norfolk Cres. Sidc —4K **3**
Norfolk Ho. Beck —5H **5**
Norfolk Rd. T Hth —7B **4**
Norheads La. Warl & Big H
—7C **26**
Norhyrst Av. SE25 —7E **4**
Norlands Cres. Chst —5E **8**
Norman Clo. Orp —7F **17**
Normanhurst Rd. Orp
—6A **10**
Norman Rd. T Hth —6A **4**
Norsted La. Prat B —1E **28**
Northampton Rd. Croy
—6F **13**
Northbourne. Brom —4H **15**
Northbrook Rd. Croy —2C **12**
Northcote Rd. Croy —3C **12**
Northcote Rd. Sidc —1H **9**
N. Cray Rd. Sidc & Bex
—3D **10**
N. Downs Cres. New Ad
—5C **20**
N. Downs Rd. New Ad
—5C **20**
North Dri. Orp —1H **23**
North End. Croy —6B **12**
N. End La. Orp —7D **22**
Northfield Av. Orp —3B **18**
Northfield Clo. Brom —5B **8**
Northlands Av. Orp —1H **23**
Northolme Rise. Orp —6H **17**
Northover. Brom —1G **7**
North Pk. SE9 —3D **3**
N. Pole La. Kes —3G **21**
North Rd. Brom —5J **7**
North Rd. W Wick —5C **14**
North St. Brom —5H **7**

Northumberland Av. Well
—1K **3**
Northumberland Gdns. Brom
—1D **16**
Northview. Swan —6K **11**
North Wlk. New Ad —3C **20**
(in two parts)
Northway Rd. Croy —3E **12**
N. Wood Ct. SE25 —7F **5**
Northwood Ho. SE27 —1C **4**
Northwood Rd. T Hth —6A **4**
Northwood Way. SE19 —3C **4**
Norwich Rd. T Hth —7B **4**
Norwood High St. SE27
—1A **4**
Norwood Pk. Rd. SE27
—2B **4**
Notson Rd. SE25 —1G **13**
Novar Clo. Orp —4J **17**
Nova Rd. Croy —4A **12**
Novar Rd. SE9 —5H **3**
Nugent Ind. Pk. Orp —1B **18**
Nugent Rd. SE25 —7E **4**
Nunnington Clo. SE9 —7D **2**
Nursery Av. Croy —6J **13**
Nursery Clo. Croy —6J **13**
Nursery Clo. Orp —4J **17**
Nursery Clo. Swan —6H **11**
Nursery Gdns. Chst —3E **8**
Nursery Rd. T Hth —1C **12**
Nutfield Rd. T Hth —1A **12**
Nutfield Way. Orp —6E **16**
Nut Tree Clo. Orp —7C **18**

Oak Av. Croy —6B **14**
Oak Bank. New Ad —3D **20**
Oakbrook Clo. Brom —1J **7**
Oakdene Av. Chst —2D **8**
Oakdene Rd. Orp —2J **17**
Oakfield Gdns. SE19 —2D **4**
(in two parts)
Oakfield Gdns. Beck —2C **14**
Oakfield La. Kes —1K **21**
Oakfield Rd. SE20 —4G **5**
Oakfield Rd. Croy —5B **12**
Oakfield Rd. Orp —4K **17**
Oak Gdns. Croy —6B **14**
Oak Gro. W Wick —5D **14**
Oak Gro. Rd. SE20 —5H **5**
Oakham Dri. Brom —1G **15**
Oakhill Rd. Beck —6D **6**
Oakhill Rd. Orp —5J **17**
Oaklands. Beck —5C **6**
Oaklands Av. Sidc —4K **3**
Oaklands Av. W Wick
—7C **14**
Oaklands Clo. Orp —3H **17**
Oaklands La. Big H —2D **26**
Oaklands Rd. Brom —4F **7**
Oakleigh Clo. Swan —7K **11**
Oakleigh Gdns. Orp —1H **23**
Oakleigh Pk. Av. Chst —5D **8**
Oakley Dri. SE9 —5J **3**
Oakley Dri. Brom —7B **16**
Oakley Rd. SE25 —2G **13**
Oakley Rd. Brom —7B **16**
Oak Lodge Dri. W Wick
—4C **14**
Oak Lodge La. W'ham
—7J **31**
Oakmead Av. Brom —3H **15**
Oakmont Pl. Orp —5G **17**
Oakridge La. Brom —2E **6**
Oakridge Rd. Brom —1E **6**
Oak Rd. Orp —4K **23**
Oak Rd. W'ham —7J **31**
Oaks Av. SE19 —2D **4**
Oaksford Av. SE26 —1G **5**
Oakshade Rd. Brom —1E **6**
Oaks La. Croy —7H **13**
Oaks Rd. Croy —7H **13**
Oaks, The. Swan —6K **11**
Oak Tree Gdns. Brom —2J **7**
Oakview Gro. Croy —5K **13**
Oakview Rd. SE6 —2C **6**

Oakway. Brom —6E 6
Oak Way. Croy —3J 13
Oakways. SE9 —3G 3
Oakwood Av. Beck —6D 6
Oakwood Av. Brom —7J 7
Oakwood Ct. Swan —6H 11
(off Lawn Clo.)
Oakwood Dri. SE19 —3C 4
Oakwood Gdns. Orp —6F 17
Oakwood Rd. Orp —6F 17
Oasis, The. Brom —6K 7
Oasthouse Way. Orp —1A 18
Oates Clo. Brom —7E 6
Oatfield Rd. Orp —5J 17
Oban Rd. SE25 —1C 12
Ockham Dri. Orp —4K 9
Ockley Ct. Sidc —7K 3
Offenham Rd. SE9 —1C 8
Offenham Rd. SE12 —1C 8
Okemore Gdns. Orp —1B 18
Old Bromley Rd. Brom
—2E 6
Oldbury Clo. Orp —1B 18
Old Chapel Rd. Swan
—4H 19
Old Farm Av. Sidc —5J 3
Old Farm Gdns. Swan
—7K 11
Oldfield Clo. Brom —1C 16
Oldfield Rd. Brom —1C 16
Old Forge Way. Sidc —1A 10
Old Harrow La. W'ham
—1H 31
Old Hill. Chst —5D 8
Old Hill. Orp —3G 23
Old Homesdale Rd. Brom
—1K 15
Old La. Tats —2C 30
Old Laundry, The. Chst
—5F 9
Old London Rd. Badg M
—5E 24
Old London Rd. Knock
—4J 29
Old London Rd. Sidc —4G 11
Old Maidstone Rd. Sidc
—4E 10
Old Manor Way. Chst —2C 8
Old Palace Rd. Croy —7A 12
Old Perry St. Chst —3H 9
Old School Clo. Beck —6K 5
Oldstead Rd. Brom —1E 6
Old Town. Croy —7A 12
Old Tye Av. Big H —5G 27
Oleander Clo. Orp —2G 23
Oliver Av. SE25 —7E 4
Oliver Gro. SE25 —1E 12
Oliver Rd. Swan —7J 11
Olyffe Dri. Beck —5D 6
Onslow Cres. Chst —5E 8
Onslow Rd. Croy —5A 12
Orange Ct. La. Orp —5D 22
Orangery La. SE9 —2E 2
Orchard Av. Croy —5K 13
Orchard Bus. Cen. SE26
—2A 6
Orchard Grn. Orp —6H 17
Orchard Gro. SE20 —4F 5
Orchard Gro. Croy —4K 13
Orchard Gro. Orp —6J 17
Orchard Pl. Orp —7B 10
Orchard Rise. Croy —5K 13
Orchard Rise E. Sidc —2K 3
Orchard Rise W. Sidc —2K 3
Orchard Rd. Brom —5K 7
Orchard Rd. F'boro —2E 22
Orchard Rd. Prat B —6B 24
Orchard Rd. Sidc —1H 9
Orchard, The. Swan —6J 11
Orchard Way. Croy & Beck
—4K 13
Oregon Sq. Orp —5G 17
Orford Rd. SE6 —1C 6
Oriel Ct. Croy —5C 12
Orleans Rd. SE19 —3C 4

Orlestone Gdns. Orp —2D 24
Ormanton Rd. SE26 —1F 5
Ormonde Av. Orp —6F 17
Orpington By-Pass. Orp
—6A 18
Orpington By-Pass Rd. Orp &
Badg M —5F 25
Orpington Rd. Chst —7H 9
Osborne Clo. Beck —1K 13
Osborne Rd. T Hth —6B 4
Osborne Rd. T Hth —6B 4
Osgood Av. Orp —2J 23
Osgood Gdns. Orp —2J 23
Oslac Rd. SE6 —2C 6
Osprey Ct. Beck —4B 6
Ospringe Clo. SE20 —4H 5
Osterley Rd. Croy —5K 9
Osterley Gdns. T Hth —6B 4
Osward. Croy —6A 20
(in three parts)
Otford Clo. SE20 —5H 5
Otford Clo. Brom —7D 8
Otford La. Hals —1K 29
Ottinge Clo. Orp —1C 18
Otterbourne Rd. Croy
—6B 12
Otterden Clo. Orp —7H 17
Otterden St. SE6 —1B 6
Outram Rd. Croy —6E 12
Oval Rd. Croy —6C 12
Overbrae. Beck —2B 6
Overbury Av. Beck —7C 6
Overbury Cres. New Ad
—6D 20
Overdown Rd. SE6 —1B 6
Overhill Way. Beck —2E 14
Overmead. Sidc —4J 3
Overmead. Swan —2K 19
Overstand Clo. Beck —2B 14
Overstone Gdns. Croy
—4A 14
Overtons Yd. Croy —7B 12
Ovett Clo. SE19 —3D 4
Owen Wlk. SE20 —4F 5
Ownsted Hill. New Ad
—6D 20
Oxenden Wood Rd. Orp
—4B 24
Oxford Rd. SE19 —3C 4
Oxford Rd. Sidc —2A 10
Oxhawth Cres. Brom —2D 16
Oxlip Clo. Croy —5J 13

Packham Clo. Orp —6B 18
Packmores Rd. SE9 —2J 3
Paddock Clo. SE26 —1J 5
Paddock Clo. F'boro —1E 22
Paddock Gdns. SE19 —3D 4
Paddock Pas. SE19 —3D 4
(off Paddock Gdns.)
Paddocks Clo. Orp —6C 18
Paddocks, The. New Ad
—2B 20
Paddock Way. Chst —4A 8
Padua Rd. SE20 —5H 5
Pageant Wlk. Croy —7D 12
Page Heath La. Brom —7A 8
Page Heath Vs. Brom —7A 8
Pagehurst Rd. Croy —4K 13
Paget Gdns. Chst —5E 8
Palace Grn. Croy —4A 20
Palace Gro. SE19 —4E 4
Palace Gro. Brom —5J 7
Palace Rd. SE19 —4E 4
Palace Rd. Brom —5J 7
Palace Rd. W'ham —3F 31
Palace Sq. SE19 —4E 4
Palace View. SE12 —6A 2
Palace View. Brom —7J 7
(in two parts)
Palace View. Croy —1A 20
Palewell Clo. Orp —6A 10
Pallant Way. Orp —7D 16
Palmarsh Clo. Orp —1C 18
Palm Av. Sidc —3C 10

Palmer Clo. W Wick —6E 14
Palmerston Rd. Orp —2F 23
Palmerston Rd. T Hth
—2C 12
Panmure Rd. SE26 —1G 5
Pantiles, The. Brom —7B 8
Parade, The. Swan —7K 11
Parchmore Rd. T Hth —6A 4
Parchmore Way. T Hth
—6A 4
Parish Ga. Dri. Sidc —3K 3
Parish La. SE20 —3J 5
Parish M. SE20 —4J 5
Park Av. Brom —3G 7
Park Av. F'boro —7C 16
Park Av. Orp —6K 17
Park Av. W Wick —6D 14
Park Ct. SE26 —3G 5
Park End. Brom —5G 7
Park Farm Rd. Brom —5A 8
Parkfields. Croy —5A 14
Parkfield Way. Brom —3C 16
Parkgate Rd. Orp —1G 25
Park Gro. Brom —5J 7
Park Hall Trading Est. SE21
—1B 4
Parkham Ct. Short —6F 7
Park Hill. Brom —1B 16
Park Hill Rise. Croy —6D 12
Park Hill Rd. Brom —6F 7
Park Hill Rd. Sidc —7K 3
Park La. Croy —7C 12
Park M. Chst —3E 8
Park Rd. SE25 —1D 12
Park Rd. Beck —4A 6
Park Rd. Brom —5J 7
Park Rd. Chst —3E 8
Park Rd. Orp —2B 18
Park Rd. Warl —3A 26
Parkside. Hals —2K 29
Parkside Av. Brom —1B 16
Park St. Croy —6B 12
Park, The. SE19 —4D 4
Park, The. Sidc —2K 9
Park View Ct. SE20 —5G 5
Parkview Rd. SE9 —5G 3
Park View Rd. Croy —5F 13
Park Way. Bex —1K 11
Parkway. New Ad —5C 20
Parkwood. Beck —4B 6
Parkwood Rd. Tats —3D 30
Parry Rd. SE25 —7D 4
Parsley Gdns. Croy —5J 13
Parsonage La. Sidc —1E 10
Parsons Mead. Croy —5A 12
Partridge Dri. Orp —7F 17
Partridge Grn. SE9 —7F 3
Partridge Rd. Sidc —1H 9
Passey Pl. SE9 —3E 2
Passfields. SE6 —1D 6
Paston Cres. SE12 —4A 2
Patricia Ct. Chst —5G 9
Patterdale Rd. Brom —3G 7
Patterson Ct. SE19 —4E 4
Patterson Rd. SE19 —3E 4
Paul Gdns. Croy —7E 12
Paulinus Clo. Orp —6B 10
Pavement Sq. Croy —5F 13
Pawleyne Clo. SE20 —4H 5
Pawsons Rd. Croy —3B 12
Paxton Pl. SE27 —1D 4
Paxton Rd. SE23 —1K 5
Paxton Rd. Brom —4H 7
Paynesfield Rd. Tats —3B 30
Peacock Gdns. S Croy
—6A 20
Peak Hill. SE26 —1H 5
Peak Hill Av. SE26 —1H 5
Peak Hill Gdns. SE26 —1H 5
Peak, The. SE26 —1H 5
Pearfield Rd. SE23 —1K 5
Pear Tree Clo. Swan —6J 11
Peatfield Clo. Sidc —7K 3
Peel Rd. Orp —2F 23
Pegley Gdns. SE12 —6A 2
Pelham Ct. Sidc —1K 9

Pelham Rd. Beck —6H 5
Pemberton Gdns. Swan
—7K 11
Pembroke Rd. SE25 —1D 12
Pembroke Rd. Brom —6K 7
Pembury Clo. Brom —4G 15
Pembury Rd. SE25 —1F 13
Pemdevon Rd. Croy —4A 12
Pendennis Rd. Orp —6B 18
Pendle Rd. SE26 —1F 5
Pendragon Rd. Brom —1G 7
Penfold Clo. Croy —7A 12
Penford Gdns. SE9 —1C 2
Penge La. SE20 —4H 5
Penge Rd. SE25 & SE20
—7F 5
Penn Gdns. Chst —6E 8
Pennington Clo. SE27 —1C 4
Pennycroft. Croy —5A 20
Penrith Clo. Beck —5C 6
Penrith Rd. T Hth —6B 4
Penshurst Grn. Brom
—2G 15
Penshurst Rd. T Hth —2A 12
Penshurst Wlk. Brom
—2G 15
Penshurst Way. Orp —1B 18
Pepys Rise. Orp —5J 17
Percival Rd. Orp —6E 16
Percy Rd. SE20 —5J 5
Percy Rd. SE25 —2F 13
Peregrine Gdns. Croy —6K 13
Periton Rd. SE9 —1C 2
Perpins Rd. SE9 —3K 3
Perry Hall Clo. Orp —4K 17
Perry Hall Rd. Orp —3J 17
Perry Hill. SE6 —1A 6
Perry Rise. SE23 —1K 5
Perrys La. Prat B —2F 29
Perry St. Chst —4G 9
Perry St. Gdns. Chst —3H 9
Perry St. Shaw. Chst —4H 9
Perth Rd. Beck —6D 6
Petersham Dri. Orp —6J 9
Petersham Gdns. Orp —6J 9
Peter's Path. SE26 —1G 5
Petten Clo. Orp —6J 9
Petten Gro. Orp —5B 18
Petts Wood Rd. Orp —2F 17
Philip Av. Swan —1J 19
Philip Gdns. Croy —6A 14
Philipot Path. SE9 —3E 2
Philippa Gdns. SE9 —2C 2
Phoenix Clo. W Wick —6E 14
Phoenix Dri. Kes —1A 22
Phoenix Rd. SE20 —4G 5
Pickhurst Grn. Brom —4G 15
Pickhurst La. W Wick & Brom
—2F 15
Pickhurst Mead. Brom
—4G 15
Pickhurst Pk. Brom —2F 15
Pickhurst Rise. W Wick
—5E 14
Pickwick Way. Chst —3F 9
Piermont Pl. Brom —6B 8
Pike Clo. Brom —2J 7
Pilgrim Hill. SE27 —1B 4
Pilgrims La. T'sey & W'ham
—6B 30
Pilgrims Way. W'ham & Sund
—5F 31
Pilkington Rd. Orp —6F 17
Pilton Est., The. Croy —6A 12
Pinchbeck Rd. Orp —3J 23
Pine Av. W Wick —5C 14
Pine Clo. SE20 —5H 5
Pine Coombe. Croy —7J 13
Pinecrest Gdns. Orp —1E 22
Pine Glade. Orp —1C 22
Pinehurst Wlk. Orp —5G 17
Pines Rd. Brom —6B 8
Pines, The. SE19 —4A 4
Pine Tree Lodge. Short
—1G 15
Pinewood Av. Sidc —5K 3

Pinewood Clo. Croy —7K 13
Pinewood Clo. Orp —5G 17
Pinewood Dri. Orp —2H 23
Pinewood Rd. Brom —1H 15
Pink's Hill. Swan —2K 19
Pinnell Rd. SE9 —1C 2
Pinto Way. SE3 —1A 2
Pioneer Pl. Croy —5B 20
Pioneer Way. Swan —7K 11
Piper's Gdns. Croy —4K 13
Pippin Clo. Croy —5A 14
Piquet Rd. SE20 —6H 5
Pirbright Cres. New Ad
—3D 20
Pitfold Clo. SE12 —3A 2
Pitfold Rd. SE12 —3A 2
Pitlake. Croy —6A 12
Pitt Rd. Orp —1F 23
Pitt Rd. T Hth —2B 12
Pittsmead Av. Brom —4H 15
Pittville Gdns. SE25 —7F 5
Pixton Way. Croy —5A 20
Place Farm Av. Orp —5G 17
Plaistow Gro. Brom —4J 7
Plaistow La. Brom —4H 7
(in two parts)
Plane Ho. Short —6F 7
Plane St. SE26 —1G 5
Plane Tree Wlk. SE19 —3D 4
Plantation Dri. Orp —5C 18
Plawsfield Rd. Beck —5J 5
Plaxtol Clo. Brom —5K 7
Playgreen Way. SE6 —1B 6
Playground Clo. Beck —6J 5
Pleasance Rd. Orp —6A 10
Pleasant Gro. Croy —7A 14
Pleasant View Pl. Orp —2E 22
Pleydell Av. SE19 —4E 4
Plymouth Rd. Brom —5J 7
Pole Cat All. Brom —6G 15
Polesteeple Hill. Big H
—6F 27
Pollard Wlk. Sidc —3B 10
Polperro Clo. Orp —3J 17
Pond Cottage La. W Wick
—5B 14
Pondfield Ho. SE27 —2B 4
Pondfield Rd. Brom —5F 15
Pondfield Rd. Orp —7E 16
Pond Path. Chst —3E 8
Pondwood Rise. Orp —4H 17
Pontefract Rd. Brom —2G 7
Pool Clo. Beck —2B 6
Pope Rd. Brom —2A 16
Popes Gro. Croy —7A 14
Poplar Av. Orp —6E 16
Poplar Wlk. Croy —5B 12
Poppy La. Croy —4H 13
Porchester Mead. Beck
—3B 6
Porcupine Clo. SE9 —6D 2
Porlock Ho. SE26 —1F 5
Porrington Clo. Chst —5D 8
Porthcawe Rd. SE26 —1K 5
Port Hill. Prat B —1F 29
Portland Cres. SE9 —6D 2
Portland Rd. SE9 —6D 2
Portland Rd. SE25 —1F 13
Portland Rd. Brom —1K 7
Postmill Clo. Croy —7H 13
Potters Clo. Croy —5K 13
Poulters Wood. Kes —2A 22
Pound Clo. Orp —6G 17
Pound Ct. Dri. Orp —6G 17
Pound La. Knock —4H 29
Pound Pl. SE9 —3F 3
Poverest Rd. Orp —2J 17
Powerscroft Rd. Sidc
—3B 10
Powster Rd. Brom —2H 7
Poynings Clo. Orp —6B 18
Poyntell Cres. Chst —5G 9
Pragnell Rd. SE12 —6A 2
Prescott Av. Orp —3E 16
Prestbury Sq. SE9 —1C 8
Prestbury Rd. SE12 —1C 8

Preston Ct. Sidc —1J **9**
(off Crescent, The)
Preston Rd. SE19 —3A **4**
Prestons Rd. Brom —7H **15**
Prestwood Gdns. Croy
—4B **12**
Prickley Wood. Brom —5G **15**
Priddy's Yd. Croy —6B **12**
Pridham Rd. T Hth —1C **12**
Priestfield Rd. SE23 —1K **5**
Priestlands Pk. Rd. Sidc
—1J **9**
Primrose Clo. SE6 —2D **6**
Primrose La. Croy —5H **13**
Prince Consort Dri. Chst
—5G **9**
Prince Imperial Rd. Chst
—5E **8**
Prince John Rd. SE9 —2D **2**
Prince Rd. SE25 —2D **12**
Prince Rupert Rd. SE9 —1E **2**
Princes Av. Orp —2H **17**
Princes Clo. Sidc —1C **10**
Prince's Plain. Brom —4B **16**
Princes Rd. SE20 —3J **5**
Princess Pde. Orp —7D **16**
Princess Rd. Croy —3B **12**
Princes Way. W Wick
—1G **21**
Princethorpe Rd. SE26 —1J **5**
Prioress Rd. SE27 —1A **4**
Priorsford Av. Orp —1K **17**
Priory Av. Orp —3G **17**
Priory Clo. Beck —7K **5**
Priory Clo. Chst —5C **8**
Priory Cres. SE19 —4B **4**
Priory, The. Croy —7A **12**
Prospect Clo. SE26 —1G **5**
Prospect Pl. Brom —7J **7**
Puddledock La. Dart —2K **11**
Puffin Clo. Beck —2A **14**
Pump La. Orp —2G **25**
Pump Pail N. Croy —7B **12**
Pump Pail S. Croy —7B **12**
Purneys Rd. SE9 —1C **2**
Pyrmont Gro. SE27 —1A **4**
Pytchley Cres. SE19 —3B **4**

Quadrant Rd. T Hth —1A **12**
Quail Gdns. S Croy —6A **20**
Queen Adelaide Ct. SE20
—3H **5**
Queen Adelaide Rd. SE20
—3H **5**
Queen Anne Av. Brom —7G **7**
Queenborough Gdns. Chst
—3G **9**
Queen Elizabeth's Dri. New Ad
—5E **20**
Queen Elizabeth's Gdns.
New Ad —6E **20**
Queen Mary Rd. SE19 —3A **4**
Queenscroft Rd. SE9 —2C **2**
Queensgate Gdns. Chst
—5G **9**
Queens Mead Rd. Brom
—6G **7**
Queens Pas. Chst —3E **8**
Queens Rd. Beck —6K **5**
Queens Rd. Brom —6H **7**
Queens Rd. Chst —3E **8**
Queens Rd. Croy —3A **12**
Queensthorpe Rd. SE26
—1J **5**
Queen St. Croy —7B **12**
Queensway. Orp —2F **17**
Queensway. W Wick —7F **15**
Queenswood Av. T Hth
—2A **12**
Queenswood Ct. SE27 —1C **4**
Queenswood Rd. SE23 —1J **5**
Queenswood Rd. Sidc —2K **3**
Quentins Dri. Berr G —5K **27**
Quernmore Clo. Brom —3H **7**
Quernmore Rd. Brom —3H **7**

Quiet Nook. Brom —7A **16**
Quilter Gdns. Orp —5B **18**
Quilter Rd. Orp —5B **18**
Quinton Clo. Beck —7D **6**

Radcliffe Rd. Croy —6E **12**
Radfield Way. Sidc —4J **3**
Radnor Clo. Chst —3H **9**
Radnor Wlk. Croy —3A **14**
Raeburn Rd. Sidc —3K **3**
Rafford Way. Brom —6J **7**
Raggleswood. Chst —5D **8**
Rag Hill Clo. Tats —3D **30**
Rag Hill Rd. Tats —3C **30**
Raglan Ct. SE12 —2A **2**
Raglan Rd. Brom —1K **15**
Railpit La. Warl —4A **26**
Railway Ter. W'ham —7J **31**
Rainham Clo. SE9 —3K **3**
Raleigh Ct. Beck —5C **6**
Raleigh M. Orp —2J **23**
Raleigh Rd. SE20 —4J **5**
Ralph Perring Ct. Beck
—1B **14**
Ramsden Clo. Orp —5B **18**
Ramsden Rd. Orp —5A **18**
Ramuswood Av. Orp —2H **23**
Rancliffe Gdns. SE9 —1D **2**
Randisbourne Gdns. SE6
—1C **6**
Randlesdown Rd. SE6 —1B **6**
(in two parts)
Randles La. Knock —3H **29**
Rangefield Rd. Brom —2F **7**
Ranmore Av. Croy —7E **12**
Ranmore Path. Orp —1K **17**
Rathbone Sq. Croy —7E **12**
Ravensbourne Av. Beck &
Brom —4E **6**
Ravensbourne Rd. Brom
—7H **7**
Ravensbury Rd. Orp —1J **17**
Ravenscar Rd. Brom —1F **7**
Ravens Clo. Brom —6G **7**
Ravenscourt Rd. Orp —7K **9**
Ravenscroft Cres. SE9 —7E **2**
Ravenscroft Rd. Beck —6H **5**
Ravensdale Gdns. SE19
—4C **4**
Ravenshill. Chst —5E **8**
Ravensmead Rd. Brom
—4E **6**
Ravensquay Bus. Cen. SE20
—2A **18**
Ravens Way. SE12 —2A **2**
Ravenswood Av. W Wick
—5D **14**
Ravenswood Cres. W Wick
—5D **14**
Ravenswood Rd. Croy
—7A **12**
Ravensworth Rd. SE9 —1C **8**
Rawlings Clo. Orp —2J **23**
Rawlins Clo. S Croy —4A **20**
Rayfield Clo. Brom —3B **16**
Raymead Av. T Hth —2A **12**
Raymond Clo. SE26 —2H **5**
Raymond Rd. Beck —1K **13**
Rays Rd. W Wick —4D **14**
Recreation Rd. SE26 —1J **5**
Recreation Rd. Brom —6G **7**
Recreation Rd. Sidc —7K **3**
Rectory Clo. Sidc —1A **10**
Rectory Grn. Beck —5A **6**
Rectory Gro. Croy —6A **12**
Rectory La. Sidc —1A **10**
Rectory La. W'ham —5D **30**
Rectory Rd. Beck —5B **6**
Rectory Rd. Kes —4A **22**
Red Cedars Rd. Orp —4H **17**
Redcourt. Croy —7D **12**
Redding. Sidc —3A **10**
Reddons Rd. Beck —4K **5**
Redgate Dri. Brom —6J **15**
Redgrave Clo. Croy —3E **12**

Red Hill. Chst —2E **8**
Redhouse Rd. Tats —3B **30**
Redlands Ct. Brom —4G **7**
Redlands, The. Beck —6C **6**
Red Lion Clo. Orp —3B **18**
Red Lodge. W Wick —5D **14**
Red Lodge Cres. Bex —1J **11**
Red Lodge Rd. Bex —1J **11**
Red Lodge Rd. W Wick
—5D **14**
Redmans La. Sev —3H **25**
Red Oak Clo. Orp —7E **16**
Redroofs Clo. Beck —5C **6**
Redstart Clo. New Ad —6E **20**
Reed Av. Orp —7H **17**
Reed Clo. SE12 —2A **2**
Rees Gdns. Croy —3E **12**
Reeves Corner. Croy —6A **12**
Reeves Cres. Swan —7J **11**
Regency M. Beck —6D **14**
Regency Wlk. Croy —3A **14**
Regent Pl. Croy —5E **12**
Regents Ct. Brom —4G **7**
Regents Dri. Kes —2A **22**
Regina Ho. SE20 —5J **5**
Regina Rd. SE25 —7F **5**
Reigate Rd. Brom —7A **2**
Rennets Clo. SE9 —2K **3**
Rennets Wood Rd. SE9
—2J **3**
Renown Clo. Croy —5A **12**
Renton Dri. Orp —4C **18**
Repton Ct. Beck —5C **6**
Repton Rd. Orp —7K **17**
Restons Cres. SE9 —3J **3**
Retreat, The. Orp —3A **24**
Retreat, The. T Hth —10 **12**
Reventlow Rd. SE9 —5H **3**
Reynard Clo. Brom —7D **8**
Reynard Dri. SE19 —4E **4**
Reynolds Way. Croy —7D **12**
Ribston Clo. Brom —5C **16**
Rice Pde. Orp —2G **17**
Richborough Clo. Orp
—1C **18**
Richmond Clo. Big H —1A **30**
Richmond Rd. T Hth —7A **4**
Ricketts Hill Rd. Tats —7F **27**
Rickyard Path. SE9 —1D **2**
Riddons Rd. SE12 —7B **2**
Rider Clo. Sidc —3K **3**
Ridgebrook Rd. SE3 —1C **2**
Ridgemount Av. Croy —5J **13**
Ridgemount Clo. SE20
—4G **5**
Ridge, The. Orp —6G **17**
Ridge Way. SE19 —3D **4**
Ridgeway. Brom —6H **15**
Ridgeway Cres. Orp —7H **17**
Ridgeway Cres. Gdns. Orp
—7H **17**
Ridgeway Dri. Brom —1J **7**
Ridgeway E. Sidc —2K **3**
Ridgeway W. Sidc —2K **3**
Ridings, The. Big H —6G **27**
Ridley Rd. Brom —7G **7**
Ridsdale Rd. SE20 —5G **5**
Riefield Rd. SE9 —1H **3**
(in two parts)
Ring Clo. Brom —4J **7**
Ringers Rd. Brom —7H **7**
Ringmer Way. Brom —2B **16**
Ringshall Rd. Orp —7K **9**
Ringwold Clo. Beck —4K **5**
Ringwood Av. Orp —6B **24**
Ripley Clo. Brom —2C **16**
Ripley Clo. New Ad —3D **20**
Ritchie Rd. Croy —3G **13**
River Gro. Pk. Beck —5A **6**
River Ho. SE26 —1G **5**
River Pk. Gdns. Brom —4E **6**
Riverside Clo. Orp —6B **10**
Riverside Wlk. W Wick
—5C **14**
Riverwood La. Chst —5G **9**
Robert M. Orp —5K **17**

Roberton Dri. Brom —5K **7**
Roberts Clo. SE9 —5J **3**
Roberts Clo. Orp —2B **18**
Roberts Clo. Orp —1B **18**
Roberts Ct. SE20 —5H **5**
(off Maple Rd.)
Robert St. Croy —7B **12**
Robin Hill Dri. Chst —3B **8**
Robin Hood Grn. Orp
—2K **17**
Robins Ct. SE12 —7B **2**
Robin's Ct. Beck —6E **6**
Robins Gro. W Wick —7H **15**
Robin Way. Orp —7A **10**
Rochester Av. Brom —6J **7**
Rochester Gdns. Croy
—7D **12**
Rochester Way. SE9 —1C **2**
Rockhampton Clo. SE27
—1A **4**
Rock Hill. SE26 —1E **4**
Rock Hill. Orp —3G **25**
Rockmount Rd. SE19 —3C **4**
Rockwell Gdns. SE19 —2D **4**
Roden Gdns. Croy —3D **12**
Rodney Clo. Croy —5A **12**
Rodney Gdns. W Wick
—1H **21**
Rodway Rd. Brom —5J **7**
Roedean Clo. Orp —1A **24**
Roehampton Dri. Chst —3F **9**
Rolinsden Way. Kes —2A **22**
Rolleston Av. Orp —3E **16**
Rolleston Clo. Orp —4E **16**
Rollo Rd. Swan —4K **11**
Rolvenden Gdns. Brom
—4A **8**
Romanhurst Av. Brom
—1F **15**
Romanhurst Gdns. Brom
—1F **15**
Roman Ind. Est. Croy —4D **12**
Roman Rise. SE19 —3C **4**
Roman Way. Croy —6A **12**
Romany Rise. Orp —5F **17**
Romany Rd. SE27 —2C **4**
Rommany Rd. SE27 —1C **4**
Romney Dri. Brom —4A **8**
Romsey Clo. Orp —1E **22**
Ronald Clo. Beck —2A **14**
Ronalds Rd. Brom —5H **7**
Ronaldstone Rd. Sidc —3K **3**
Ronfearn Av. Orp —2C **18**
Rookery Dri. Chst —5D **8**
Rookery Gdns. St M —2B **18**
Rookery La. Brom —3A **16**
Rookery Rd. Orp —6C **22**
Rookesley Rd. Orp —4C **18**
Roper St. SE9 —2E **2**
Rosamond St. SE26 —1G **5**
Rosebank. SE20 —4G **5**
Roseberry Av. T Hth —6B **4**
Roseberry Gdns. Orp —7H **17**
Rosebery Av. Sidc —4K **3**
Rosecroft Clo. Big H —7H **27**
Rosecroft Clo. Orp —3B **18**
Rose Dale. Orp —6E **16**
Rosehill Rd. Big H —6E **26**
Rosemount Dri. Brom
—1C **16**
Rosendale Rd. SE21 —1C **4**
Roseneath Clo. Orp —4B **24**
Rosery, The. Croy —3J **13**
Roseveare Rd. SE12 —1K **7**
Rose Wlk. W Wick —6D **14**
Rosewood. Dart —1K **11**
Rosewood Ct. Brom —5K **7**
Roslin Way. Brom —5H **7**
Rosslake Clo. W'ham —7J **31**
Rosslyn Clo. W Wick
—7G **15**
Ross Rd. SE25 —7C **4**
Rothesay Ct. SE12 —7A **2**
Rothesay Rd. SE25 —1C **12**
Rothschild St. SE27 —1A **4**
Round Gro. Croy —4J **13**

Roundtable Rd. Brom —1G **7**
Roundway. Big H —5E **26**
Roundwood. Chst —6E **8**
Rouse Gdns. SE21 —1D **4**
Rowan Gdns. Croy —7E **12**
Rowan Ho. Hayes —5J **7**
Rowan Ho. Sidc —7K **3**
Rowan Rd. Swan —7J **11**
Rowan Wlk. Brom —7C **16**
Rowanwood Av. Sidc —5K **3**
Rowden Rd. Beck —5K **5**
Rowdown Cres. New Ad
—5E **20**
Rowland Gro. SE26 —1G **5**
Rowallan Rd. Swan —3K **11**
Roxburgh Rd. SE27 —2A **4**
Roxton Gdns. Croy —2B **20**
Royal Oak Hill. Knock
—7D **28**
Royal Pde. Chst —4F **9**
Royal Pde. M. Chst —4F **9**
(off Royal Pde.)
Royston Rd. SE20 —5J **5**
Runciman Clo. Orp —6B **24**
Rushbrook Rd. SE9 —6H **3**
Rushden Clo. SE19 —4C **4**
Rushdene Wlk. Big H —6F **27**
Rushet Rd. Orp —6A **10**
Rushley Clo. Kes —1A **22**
Rushmead Cl. Croy —7E **12**
Rushmead Clo. Croy —7E **12**
Rushmore Clo. Brom —7B **8**
Rushmore Hill. Orp & Knock
—5B **24**
Rusholme Gro. SE19 —2D **4**
Ruskin Dri. Orp —7H **17**
Ruskin Rd. Croy —6A **12**
Ruskin Wlk. Brom —3C **16**
Rusland Av. Orp —7G **17**
Russell Clo. Beck —7D **6**
Russell Courtyard. Chst
—5D **8**
Russet Dri. Croy —5K **13**
Russett Clo. Orp —2A **24**
Russett Way. Swan —5J **11**
Rusthall Clo. Croy —2H **13**
Rutland Ct. SE9 —6H **3**
Rutland Ga. Chst —5D **8**
Rutland Ga. Brom —1G **15**
Rutland Way. Orp —3B **18**
Ruxley Clo. Sidc —3C **10**
Ruxley Corner Ind. Est. Sidc
—3C **10**
Ruxton Clo. Swan —7K **11**
Ruxton Ct. Swan —7K **11**
Ryan Clo. SE3 —1B **2**
Ryarsh Cres. Orp —1H **23**
Rydal Dri. W Wick —6F **15**
Ryder Clo. Brom —2J **7**
Rydons Clo. SE9 —1D **2**
Rye Cres. Orp —5B **18**
Ryecroft Lodge. SW16
—3A **4**
Ryecroft Rd. SW16 —3A **4**
Ryecroft Rd. Orp —3G **17**
Rye Field. Orp —5C **18**
Ryefield Rd. SE19 —3B **4**
Ryelands Cres. SE12 —3B **2**
Rymer Rd. Croy —4D **12**

Sackville Av. Brom —5H **15**
Sahara Clo. F'boro —2G **23**
Sainsbury Rd. SE19 —2D **4**
St Amunds Clo. SE6 —1B **6**
St Andrews Ct. Swan
—7K **11**
St Andrew's Dri. Orp —3A **18**
St Andrew's Rd. Croy
—7B **12**
St Andrew's Rd. Sidc
—1C **10**
St Anne's Ct. W Wick
—1F **21**
St Anns Way. Berr G —5K **27**
St Arvan's Clo. Croy —7D **12**

44 A-Z Bromley

St Aubyn's Clo. Orp —7J **17**
St Aubyn's Gdns. Orp —6J **17**
St Aubyn's Rd. SE19 —3E **4**
St Augustine's Av. Brom
—2B **16**
St Barnabas Clo. Beck —6D **6**
St Bartholomew's Clo. SE26
—1G **5**
St Bernards. Croy —7D **12**
St Bernard's Clo. SE27 —1C **4**
St Blaise Av. Brom —6J **7**
St Clair's Rd. Croy —6D **12**
St Clement's Heights. SE26
—1F **5**
St Cloud Rd. SE27 —1B **4**
St David's Clo. W Wick
—4C **14**
St Davids Rd. Swan —3K **11**
St Denis Rd. SE27 —1C **4**
St Dunstan's La. Beck
—3D **14**
St Dunstan's Rd. SE25
—1E **12**
St Edward's Clo. New Ad
—7E **20**
St Francis Clo. Orp —3H **17**
St George's Rd. Beck —5C **6**
St George's Rd. Brom —6C **8**
(in two parts)
St George's Rd. Brom —3G **17**
St George's Rd. Sidc —3C **10**
St Georges Rd. Swan —1K **19**
St George's Rd. W. Brom
—6B **8**
St George's Wlk. Croy
—7B **12**
St Giles Clo. Orp —2G **23**
St Gothard Rd. SE27 —1C **4**
St Hugh's Rd. SE20 —5G **5**
St James Av. Beck —7K **5**
St James's Av. Beck —7K **5**
St James's Pk. Croy —4B **12**
St James's Rd. Croy —4A **12**
St James Way. Sidc —2D **10**
St John's Cotts. SE20 —4H **5**
St Johns Pde. Sidc —1A 10
(off Sidcup High St.)
St Johns Rise. Berr G
—5K **27**
St John's Rd. SE20 —3H **5**
St John's Rd. Croy —7A **12**
St John's Rd. Orp —3G **17**
St John's Rd. Sidc —1A **10**
St Joseph's Clo. Orp —7J **17**
St Julian's Farm Rd. SE27
—1A **4**
St Justin Clo. St P —7C **10**
St Keverne Rd. SE9 —1B **8**
St Kilda Rd. Orp —5J **17**
St Kitts Ter. SE19 —2D **4**
St Laurence Clo. Orp —7C **10**
St Leonard's Rise. Orp
—1H **23**
St Leonard's Rd. Croy
—7A **12**
St Louis Rd. SE27 —1C **4**
St Luke's Clo. SE25 —3G **13**
St Luke's Clo. Swan —6J **11**
St Margarets Av. Berr G
—5K **27**
St Margaret's Av. Sidc —7J **3**
St Margaret's Clo. Orp
—1A **24**
St Margaret's Rd. Beck
—1J **13**
St Mark's Rd. SE25 —1F **13**
St Mark's Rd. Brom —7J **7**
St Mary's Av. Brom —7F **7**
St Mary's Clo. Orp —6A **10**
St Mary's Grn. Big H —7E **26**
St Mary's Gro. Big H —7E **26**
St Mary's Pl. SE9 —3F **3**
St Mary's Rd. SE25 —7D **4**
St Mary's Rd. Swan —1J **19**
St Matthew's Dri. Brom
—7C **8**

St Merryn Ct. Beck —4B **6**
St Michael's Clo. Brom
—7B **8**
St Michael's Rd. Croy
—5B **12**
St Nicolas La. Chst —5B **8**
St Oswald's Rd. SW16
—5A **4**
St Paul's Cray Rd. Chst
—5G **9**
St Paul's Rd. T Hth —7B **4**
St Paul's Sq. Brom —6G **7**
St Paul's Wood Hill. Orp
—6H **9**
St Peters Av. Berr G —5K **27**
St Peter's Clo. Chst —4G **9**
St Peter's La. St P —5K **9**
St Peter's Rd. Croy —7C **12**
St Saviour's College. SE27
—1C **4**
St Saviour's Rd. Croy
—3B **12**
Saints Clo. SE27 —1A **4**
St Thomas Dri. Orp —5F **17**
St Timothys M. Brom —5J **7**
St Vincent Clo. SE27 —2A **4**
St Winifred's Rd. Big H
—7H **27**
Salcot Cres. New Ad —6D **20**
Salem Pl. Croy —7B **12**
Salisbury Rd. SE25 —3F **13**
Salisbury Rd. Brom —2B **16**
Saltbox Hill. Big H —2D **26**
Salter's Hill. SE19 —2C **4**
Saltwood Clo. Orp —1B **24**
Samos Rd. SE20 —6G **5**
Samuel Palmer Ct. Orp
—4K **17**
(off Chislehurst Rd.)
Sandby Grn. SE9 —1D **2**
Sandersons Av. Badg M
—6F **25**
Sanderstead Rd. Orp —3A **18**
Sandfield Gdns. T Hth —7A **4**
Sandfield Rd. T Hth —7A **4**
Sandford Rd. Brom —1H **15**
Sandhurst Rd. Orp —7K **17**
Sandhurst Rd. Sidc —1J **9**
Sandiland Cres. Brom
—6G **15**
Sandilands. Croy —6F **13**
Sandling Rise. SE9 —7F **3**
Sandown Rd. SE25 —2G **13**
Sandpiper Way. Orp —1C **18**
Sandpit Rd. Brom —2F **7**
Sandpits Rd. Croy —7J **13**
Sandringham Rd. Brom
—2H **7**
Sandringham Rd. T Hth
—2B **12**
Sandstone Rd. SE12 —6A **2**
Sandway Path. St M —1B 18
(off Okemore Gdns.)
Sandway Rd. St M —1B **18**
Sandy Bury. Orp —2G **17**
Sandy La. Orp —4K **17**
Sandy La. St P & Sidc
—6C **10**
Sandy La. W'ham —7J **31**
Sandy Ridge. Chst —3D **8**
Sandy Way. Croy —7A **14**
Sangley Rd. SE25 —1D **13**
Saphora Clo. Orp —2G **23**
Saracen Clo. Croy —6C **12**
Sarre Rd. St M —2B **18**
Savile Gdns. Croy —6E **12**
Saville Gdns. Croy —6E **12**
Saville Row. Brom —5G **15**
Saxon Rd. SE25 —2C **12**
Saxon Rd. Brom —4G **7**
Saxon Wlk. Sidc —4D **10**
Saxville Rd. Orp —7A **10**
Sayes Ct. Rd. Orp —1K **17**
Scads Hill Clo. Orp —3J **17**
Scarborough Clo. Big H
—7E **26**

Scarbrook Rd. Croy —7B **12**
Scarlet Clo. St P —1A **18**
School Rd. Chst —5F **9**
Scotsdale Clo. Orp —1H **17**
Scotsdale Rd. SE12 —2A **2**
Scotts Av. Brom —6E **6**
Scott's La. Brom —7E **6**
Scotts Rd. Brom —4H **7**
Seabrook Dri. W Wick
—6F **15**
Sedcombe Clo. Sidc —1A **10**
Sedgehill Rd. SE6 —1B **6**
Sedgewood Clo. Brom
—4G **15**
Seeley Dri. SE21 —1D **4**
Sefton Clo. Orp —1J **17**
Sefton Rd. Croy —5F **13**
Sefton Rd. Orp —1J **17**
Selah Dri. Swan —5H **11**
Selborne Rd. Croy —7D **12**
Selborne Rd. Sidc —1A **10**
Selby Clo. Chst —3D **8**
Selby Rd. SE20 —6F **5**
Selhurst New Rd. SE25
—3D **12**
Selhurst Pl. SE25 —3D **12**
Selhurst Rd. SE25 —3D **12**
Sellindge Clo. Beck —4A **6**
Selsdon Pk. Rd. S Croy
—5A **20**
Selsdon Rd. SE27 —1A **4**
Selwood Rd. Croy —6G **13**
Selworthy Rd. SE6 —1A **6**
Selwyn Pl. Orp —7A **10**
Seneca Rd. T Hth —1B **12**
Senlac Rd. SE12 —5A **2**
Sennen Wlk. SE9 —7D **2**
Sequoia Gdns. Orp —4J **17**
Sermon Dri. Swan —7H **11**
Serviden Dri. Brom —5A **8**
Seven Acres. Swan —3J **19**
Sevenoaks Rd. Grn St & Hals
—2J **23**
Sevenoaks Rd. Sev —5D **22**
Sevenoaks Way. Sidc & Orp
—4B **10**
Sevenoaks Way Ind. Est. St P
—7B **10**
Seward Rd. Beck —6J **5**
Seymour Dri. Brom —5C **16**
Seymour Pl. SE25 —1G **13**
Seymour Ter. SE20 —5G **5**
Seymour Vs. SE20 —5G **5**
Shacklands Rd. Badg M
—7G **25**
Shaftesbury Rd. Beck —6A **6**
Shalford Clo. Orp —1F **23**
Shallons Rd. SE9 —1E **8**
Shannon Way. Beck —3C **6**
Sharman Ct. Sidc —1K **9**
Shawbrooke Rd. SE9 —2B **2**
Shawfield Pk. Brom —6A **8**
Shaw Rd. Brom —1G **7**
Shaw Rd. Tats —2B **30**
Shaxton Cres. New Ad
—5D **20**
Sheenewood. SE26 —1G **5**
Sheen Rd. Orp —1J **17**
Sheepbarn La. Warl —1B **26**
Sheepcote La. Orp & Swan
—2E **18**
Shelbourne Pl. Beck —6A **6**
Shelbury Clo. Sidc —1K **9**
Sheldon Clo. SE12 —2A **2**
Sheldon Clo. SE20 —5G **5**
Sheldon St. Croy —7B **12**
Sheldwich Ter. Brom —3B **16**
Shelford Rise. SE19 —4E **4**
Shell Clo. Brom —3B **16**
Shelley Clo. Orp —7H **17**
Shelleys La. Knock —5D **28**
Shepherd's Clo. Orp —7J **17**
Shepherds Grn. Chst —4G **9**
Shepperton Rd. Orp —3F **17**
Sherard Rd. SE9 —2D **2**
Sherborne Rd. Orp —2J **17**

Sheridan Clo. Swan —1K **19**
Sheridan Cres. Chst —6E **8**
Sheridan Lodge. Brom
(off Homesdale Rd.) —1K 15
Sheridan Way. Beck —5A **6**
Sheringham Rd. SE20 —7H **5**
Sherlies Av. Orp —6H **17**
Sherman Rd. Brom —5H **7**
Sherwood Rd. Croy —4G **13**
Sherwood Way. W Wick
—6D **14**
Shinners Clo. SE25 —2F **13**
Shipfield Clo. Tats —3B **30**
Ship Hill. Tats —3B **30**
Shire La. Kes & Orp —4C **22**
(in two parts)
Shire La. Orp —2H **23**
Shirley Av. Croy —5H **13**
Shirley Chu. Rd. Croy
—7J **13**
Shirley Cres. Beck —1K **5**
Shirley Oaks Rd. Croy
—5J **13**
Shirley Pk. Rd. Croy —5G **13**
Shirley Rd. Croy —4G **13**
Shirley Rd. Sidc —7K **3**
Shirley Way. Croy —7K **13**
Sholden Gdns. Orp —2B **18**
Shoreham Clo. Croy —2H **13**
Shoreham La. Hals —1K **29**
Shoreham La. Orp —3F **25**
Shoreham Rd. Brom —5A **10**
Shoreham Rd. Orp —5A **10**
Shoreham Way. Brom
—3H **15**
Shorne Clo. Orp —1C **18**
Shornefield Clo. Brom —7D **8**
Shortlands Gdns. Brom
—6F **7**
Shortlands Gro. Brom —7E **6**
Shortlands Rd. Brom —7E **6**
Short Way. SE9 —1D **2**
Shottery Clo. SE9 —7D **2**
Shrapnel Clo. SE9 —1E **2**
Shrewsbury Rd. Beck —7K **5**
Shroffold Rd. Brom —1F **7**
Shrublands Av. Croy —7B **14**
Shrublands Clo. SE26 —1H **5**
Shrubsall Clo. SE9 —5D **2**
Shurlock Av. Swan —6J **11**
Shurlock Dri. Orp —1F **23**
Shuttle Clo. Sidc —4K **3**
Sibthorpe Rd. SE12 —3A **2**
Sidcup By-Pass. Chst & Sidc
—7J **3**
Sidcup High St. Sidc —1K **9**
Sidcup Hill. Sidc —1A **10**
Sidcup Hill Gdns. Sidc
—2B **10**
Sidcup Rd. SE12 & SE9
—3B **2**
Sidney. Sidc —3A **10**
Sidney Rd. SE25 —2F **13**
Sidney Rd. Beck —6K **5**
Silbury Ho. SE26 —1F **5**
Silver Birch Clo. Dart —1K **11**
Silverdale. SE26 —1H **5**
Silverdale Dri. SE9 —6D **2**
Silverdale Rd. Pet W —1F **17**
Silverdale Rd. St P —7K **9**
Silver La. W Wick —6E **14**
Silverstead La. W'ham
—3J **31**
Silverwood Clo. Beck —4B **6**
Silverwood Clo. Croy —5A **20**
Simnel Rd. SE12 —4A **2**
Simone Clo. Brom —5B **8**
Simpsons Rd. Brom —7H **7**
Sinclair Clo. Croy —6D **12**
Singles Cross La. Knock
—3G **29**
Single St. Berr G —4K **27**
Singleton Clo. Croy —4B **12**

Sissinghurst Rd. Croy
—4F **13**
Siward Rd. Brom —7J **7**
Skeet Hill La. Orp —6D **18**
Skibbs La. Orp —2D **24**
Skid Hill La. Warl —1B **26**
Slades Dri. Chst —1F **9**
Slip, The. W'ham —7H **31**
Sloane Gdns. Orp —7F **17**
Sloane Wlk. Croy —3A **14**
Smarden Gro. SE9 —1C **8**
Smock Wlk. Croy —3B **12**
Snag La. Cud —7G **23**
Snodland Clo. Orp —6D **22**
Snowdown Clo. SE20 —5J **5**
Socket La. Hayes —3J **15**
Somerden Rd. Orp —4C **18**
Somerset Rd. Orp —4K **17**
Somertrees Av. SE12 —6A **2**
Somerville Rd. SE20 —4J **5**
Sonnet Wlk. Big H —7D **26**
Sonning Rd. SE25 —3F **13**
Sopwith Clo. Big H —5F **27**
Sorrel Bank. Croy —5A **20**
Sounds Lodge. Swan
—3H **19**
South Bank. Chst —1F **9**
South Bank. W'ham —7J **31**
Southborough La. Brom
—2B **16**
Southborough Rd. Brom
—7B **8**
Southbourne. Brom —4H **15**
Southbourne Gdns. SE12
—2A **2**
Southbridge Pl. Croy —7B **12**
Southbridge Rd. Croy
—7B **12**
Southcote Rd. SE25 —2G **13**
Southcroft Av. W Wick
—6D **14**
Southcroft Rd. Orp —7H **17**
S. Croxted Rd. SE21 —1C **4**
Southdene. Hals —2K **29**
South Dri. Orp —2H **23**
S. Eden Pk. Rd. Beck
—3C **14**
South End. Croy —7B **12**
Southend Clo. SE9 —3G **3**
Southend Cres. SE9 —3G **3**
Southend La. SE26 & SE6
—1A **6**
Southend Rd. Beck —5B **6**
Southern Av. SE25 —7E **4**
Southern Pl. Swan —1J **19**
Southey St. SE20 —4J **5**
Southfield Rd. Chst —7K **9**
Southfields. Swan —4K **11**
Southfleet Rd. Orp —7H **17**
South Hill. Chst —3C **8**
S. Hill Rd. Brom —7F **7**
Southholme Clo. SE19
—5D **4**
Southill Ct. Hayes —2G **15**
Southill Rd. Chst —4B **8**
Southlands Av. Orp —1G **23**
Southlands Gro. Brom —7B **8**
Southlands Rd. Brom
—1A **16**
S. Norwood Hill. SE19 & SE25
—6D **4**
Southold Rise. SE9 —7E **2**
Southolme Clo. SE19 —5D **4**
Southover. Brom —2H **7**
South Pk. Ct. Beck —4B **6**
Southspring. Sidc —4J **3**
South St. Brom —2H **7**
Southvale. SE19 —3D **4**
Southview. Brom —6K **7**
S. View Ct. SE19 —4B **4**
Southview Rd. Brom —1E **6**
South Wlk. W Wick —7F **15**
Southwark Pl. Brom —7C **8**
Southwater Clo. Beck —4C **6**
South Way. Brom —4H **15**
South Way. Croy —7K **13**

Southwood Clo. Brom
—1C **16**
Southwood Rd. SE9 —6G **3**
Sowerby Clo. SE9 —2E **2**
Spa Clo. SE19 —5D **4**
Spa Hill. SE19 —5C **4**
Sparkes. Sidc —2A **10**
Sparrow Dri. Orp —5F **17**
Sparrows La. SE9 —4H **3**
Speakers Ct. Croy —5C **12**
Speke Hill. SE9 —7E **2**
Speke Rd. T Hth —6C **4**
Speldhurst Clo. Brom
—2H **15**
Spencer Clo. Orp —6H **17**
Spencer Gdns. SE9 —2E **2**
Spencer Pl. Croy —4C **12**
Spencer Rd. Brom —6B **8**
Spinney Gdns. SE19 —2E **4**
Spinney Oak. Brom —6B **8**
Spinneys, The. Brom —5C **8**
Spinney, The. Sidc —2D **10**
Spinney, The. Swan —6K **11**
Spinney Way. Cud —7G **23**
Spout Hill. Croy —2B **20**
Springbourne Ct. Beck
—5D **6**
Springfield Gdns. Brom
—1C **16**
Springfield Gdns. W Wick
—6C **14**
Springfield Rise. SE26 —1G **5**
(in two parts)
Springfield Rd. SE26 —2G **5**
Springfield Rd. Brom
—1C **16**
Springfield Rd. T Hth —5B **4**
Springfield Wlk. Orp —5H 17
(off Andover Rd.)
Spring Gdns. Big H —7E **26**
Spring Gdns. Orp —3A **24**
Spring Gro. SE19 —4E **4**
Spring Hill. SE26 —1H **5**
Springholm Clo. Big H
—7E **26**
Springhurst Clo. Croy
—1A **20**
Spring La. SE25 —3G **13**
Spring Pk. Av. Croy —6J **13**
Springpark Dri. Beck —7D **6**
Spring Pk. Rd. Croy —6J **13**
Springvale Way. St P
—7B **10**
Sprucedale Clo. Swan
—6K **11**
Sprucedale Gdns. Croy
—7J **13**
Spruce Pk. Short —1G **15**
Spruce Rd. Big H —5F **27**
Spurgeon Av. SE19 —6C **4**
Spurgeon Rd. SE19 —5C **4**
Spurrell Av. Bex —1J **11**
Spur Rd. Orp —6K **17**
Square, The. Swan —7J **11**
Square, The. Tats —2B **30**
Squires Way. Dart —1J **11**
Squires Wood Dri. Chst
—4B **8**
Squirrels Drey. Short —6F 7
(off Park Hill Rd.)
Stable M. SE27 —2B **4**
Stables End. Orp —7F **17**
Stafford Rd. Sidc —1H **9**
Staines Wlk. Sidc —3B **10**
Stainmore Clo. Chst —5G **9**
Stalisfield Pl. Dow —6D **22**
Stambourne Way. SE19
—4D **4**
Stambourne Way. W Wick
—6D **14**
Stamford Dri. Brom —1G **15**
Standard Rd. Orp —6D **22**
Stanger Rd. SE25 —1F **13**
Stanhill Cotts. Dart —4J **11**
Stanhope Av. Brom —5G **15**
Stanhope Gro. Beck —2A **14**

Stanhope Rd. Croy —7D **12**
Stanhope Rd. Sidc —1K **9**
Stanley Av. Beck —7D **6**
Stanley Gro. Croy —3A **12**
Stanley Rd. Brom —1K **15**
Stanley Rd. Croy —3A **12**
Stanley Rd. Orp —5K **17**
Stanley Rd. Sidc —1K **9**
Stanley Way. Orp —2A **18**
Stanmore Ter. Beck —6B **6**
Stanstead Clo. Brom —3G **15**
Stanton Clo. Orp —4B **18**
Stanton Rd. SE26 —1A **6**
Stanton Rd. Croy —4B **12**
Stanton Sq. SE26 —1A **6**
Stanton Way. SE26 —1A **6**
Stapleton Rd. Orp —7J **17**
Star Hill Rd. Dun G —5K **29**
Star La. Orp —1B **18**
Starts Clo. Orp —7D **16**
Starts Hill Av. F'boro —1E **22**
Starts Hill Rd. Orp —7D **16**
State Farm Av. Orp —1E **22**
Station App. SE3 —1A **2**
Station App. SE26 —2A **6**
(Lower Sydenham)
Station App. SE26 —1H **5**
(Sydenham)
Station App. Beck —5B **6**
Station App. Chels —2A **24**
Station App. Chst —5D **8**
Station App. Chst —3B **8**
(Elmstead Woods)
Station App. Croy —6C **12**
Station App. Hayes —5H **15**
Station App. Orp —6J **17**
Station App. St M —1A **18**
Station App. Swan —1K **19**
Station App. W Wick —4D **14**
Station Cotts. Orp —6J **17**
Station Est. Beck —7J **5**
Station Hill. Brom —6H **15**
Station Rd. SE20 —3H **5**
Station Rd. SE25 —1E **12**
Station Rd. Brom —5H **7**
Station Rd. Croy —6C **12**
Station Rd. Hals —7E **24**
Station Rd. Orp —6J **17**
Station Rd. Short —6F **7**
Station Rd. St P —1B **18**
Station Rd. Sidc —1K **9**
Station Rd. Swan —1K **19**
Station Rd. W Wick —5D **14**
Station Sq. Pet W —2F **17**
Station Sq. St M —1A **18**
Stedman Clo. Bex —1K **11**
Steep Clo. Orp —3J **23**
Steep Hill. Croy —7D **12**
Steeple Heights Dri. Big H
—6F **27**
Stembridge Rd. SE20 —6G **5**
Stephen Clo. Orp —7J **17**
Steve Biko La. SE6 —1B **6**
Stevens Clo. Beck —3B **6**
Stevens Clo. Bex —1J **11**
Stewart Clo. Chst —2E **8**
Steyning Gro. SE9 —1C **8**
Stiles Clo. Brom —3C **16**
Stirling Dri. Orp —2A **24**
Stockbury Rd. Croy —3H **13**
Stock Hill. Big H —5F **27**
Stockton Sq. Brom —7H **7**
Stockwell Clo. Brom —6J **7**
Stodart Rd. SE20 —5H **5**
Stofield Gdns. SE9 —7C **2**
Stokes Rd. Croy —3J **13**
Stoms Path. SE6 —2B **6**
Stonegate Clo. Orp —7B **10**
Stonehill Woods Pk. Sidc
—3G **11**
Stonehouse La. Hals —5C **24**
Stonehouse Rd. Hals —6B **24**
Stoneings La. Knock —7D **28**
Stoneleigh Pk. Av. Croy
—3J **13**
Stone Pk. Av. Beck —1B **14**

Stone Rd. Brom —2G **15**
Stones Cross Rd. Swan
—3H **19**
Stoney La. SE19 —3E **4**
Storrington Rd. Croy —5E **12**
Stour Clo. Kes —1K **21**
Stowell Av. New Ad —6E **20**
Stowe Rd. Orp —1A **24**
Stowting Rd. Orp —1H **23**
Stratford Rd. T Hth —1A **12**
Strathaven Rd. SE12 —3A **2**
Strathmore Rd. Croy —4C **12**
Strathyre Av. SW16 —7A **4**
Strawberry Fields. Swan
—5K **11**
Streamside Clo. Brom
—1H **15**
Stretton Rd. Croy —4D **12**
Strickland Way. Orp —1J **23**
Strongbow Cres. SE9 —2E **2**
Strongbow Rd. SE9 —2E **2**
Stroud Grn. Gdns. Croy
—4H **13**
Stroud Grn. Way. Croy
—4G **13**
Stroud Rd. SE25 —3F **13**
Stuart Av. Brom —5H **15**
Stuart Cres. Croy —7A **14**
Stuart Rd. T Hth —1B **12**
Stubbs Hill. Orp —2G **29**
Studland Clo. Sidc —1J **9**
Studland Rd. SE26 —2J **5**
Studley Ct. Sidc —2A **10**
Stumps Hill La. Beck —3B **6**
Sturges Field. Chst —3G **9**
Styles Way. Beck —1D **14**
Sudbury Cres. Brom —3H **7**
Sudbury Gdns. Croy —7D **12**
Suffield Rd. SE20 —6H **5**
Suffolk Ho. SE20 —4J 5
(off Croydon Rd.)
Suffolk Rd. SE25 —1E **12**
Suffolk Rd. Sidc —3B **10**
Sultan St. Beck —6J **5**
Summer Hill. Chst —6D **8**
Summerhill Clo. Orp —7H **17**
Summerhill Vs. Chst —5D **8**
Summerhouse Dri. Bex & Dart
—1J **11**
Summerlands Lodge. Orp
—1D **22**
Summit Way. SE19 —4D **4**
Sumner Clo. Orp —1F **23**
Sumner Gdns. Croy —5A **12**
Sumner Rd. Croy —5A **12**
Sumner Rd. S. Croy —5A **12**
Sundial Av. SE25 —7E **4**
Sundridge Av. Brom & Chst
—5A **8**
Sundridge Hill. Knock
—7G **29**
Sundridge La. Knock —6F **29**
Sundridge Pde. Brom —4J **7**
Sundridge Pl. Croy —5F **13**
Sundridge Rd. Croy —4E **13**
Sunningdale Av. Brom
—1B **16**
Sunningvale Av. Big H
—4F **27**
Sunningvale Clo. Big H
—5F **27**
Sunny Bank. SE25 —7F **5**
Sunnycroft Rd. SE25 —1F **13**
Sunnydale. Orp —6D **16**
Sunnydale Rd. SE12 —2A **2**
Sunnydene St. SE26 —1K **5**
Sunnyfield Rd. Chst —7K **9**
Sunray Av. Brom —3B **16**
Sunset Gdns. SE25 —6E **4**
Surrey M. SE27 —1D **4**
Surrey Rd. W Wick —5C **14**
Surrey St. Croy —7B **12**
Susan Wood. Chst —5D **8**
Sussex Rd. Orp —3B **18**
Sussex Rd. Sidc —2A **10**

Sussex Rd. W Wick —5C **14**
Sutherland Av. Big H —6F **27**
Sutherland Av. Orp —3J **17**
Sutherland Av. Well —1K **3**
Sutherland Rd. Croy —4A **12**
Sutton Clo. Beck —5C **6**
Sutton Gdns. SE25 —2E **12**
Sutton Gdns. Croy —2E **12**
Swain Rd. T Hth —2B **12**
Swallands Rd. SE6 —1B **6**
(in two parts)
Swan Clo. Croy —4D **12**
Swan Clo. Orp —7K **9**
Swanley By-Pass. Swan
—5G **11**
Swanley Cen. Swan —7K **11**
Swanley La. Swan —7K **11**
Sward Rd. Orp —3K **17**
Sweeps La. Orp —2C **18**
Swievelands Rd. Big H
—1A **30**
Swiftsden Way. Brom —3F **7**
Swinburne Cres. Croy
—3H **13**
Swires Shaw. Kes —1A **22**
Swithland Gdns. SE9 —1D **8**
Sycamore Clo. SE9 —6D **2**
Sycamore Dri. Swan —7K **11**
Sycamore Gro. SE20 —5F **5**
Sycamore Ho. Brom —6F **7**
Sycamore Lodge. Orp
—6J **17**
Sydenham Av. SE26 —2G **5**
Sydenham Cotts. SE12
—6B **2**
Sydenham Hill. SE26 & SE23
—1E **4**
Sydenham Pk. SE26 —1H **5**
Sydenham Pk. Rd. SE26
—1H **5**
Sydenham Rd. Croy —5B **12**
Sydney Rd. Sidc —1H **9**
Sylvan Est. SE19 —5E **4**
Sylvan Hill. SE19 —5D **4**
Sylvan Rd. SE19 —5E **4**
Sylvan Wlk. Brom —7B **8**
Sylvan Way. W Wick —1F **21**
Sylverdale Rd. Croy —7A **12**
Sylvester Av. Chst —3C **8**

Tait Rd. Croy —4D **12**
Talbot Rd. Brom —7J **7**
Talbot Rd. T Hth —1C **12**
Talisman Sq. SE26 —1F **5**
Tall Elms Clo. Brom —2G **15**
Tamworth Pl. Croy —6B **12**
Tamworth Rd. Croy —6A **12**
Tandridge Dri. Orp —5G **17**
Tandridge Pl. Orp —5G **17**
Tanfield Rd. Croy —7B **12**
Tangleberry Clo. Brom
—1C **16**
Tanglewood Clo. Croy
—7H **13**
Tanglewood Ct. St M —7B **10**
Tannery Clo. Beck —1J **13**
Tannsfeld Rd. SE26 —2J **5**
Tara Ct. Beck —6C **6**
Tarling Clo. Sidc —1A **10**
Tarnwood Pk. SE9 —6E **2**
Tarragon Gro. SE26 —3J **5**
Tatsfield La. Tats —3E **30**
Tattersall Clo. SE9 —6D **2**
Tavistock Ga. Croy —5C **12**
Tavistock Ho. Croy —5C **12**
Tavistock Rd. Brom —1G **15**
Tavistock Rd. Croy —5C **12**
Taylor Clo. Orp —1J **23**
Taylor Ct. SE20 —6H 5
(off Elmers End Rd.)
Taylors Clo. Sidc —7K **3**
Taylor's La. SE26 —1G **5**
Teasel Clo. Croy —5J **13**

Teesdale Gdns. SE19 —6D **4**
Teevan Clo. Croy —4F **13**
Teevan Rd. Croy —5F **13**
Teleman Sq. SE3 —1A **2**
Telford Clo. SE19 —3E **4**
Telford Rd. SE9 —6J **3**
Telscombe Clo. Orp —6H **17**
Temple Av. Croy —6A **14**
Temple Rd. Big H —6F **27**
Templeton Clo. SE19 —5C **4**
Tennison Rd. SE25 —1E **12**
Tennyson Rd. SE20 —4J **5**
Tenterden Clo. SE9 —1C **8**
Tenterden Clo. SE12 —1B **8**
Tenterden Gdns. Croy
—4F **13**
Tenterden Rd. Croy —4F **13**
Tent Peg La. Pet W —2F **17**
Tetty Way. Brom —6H **7**
Teynham Grn. Brom —2H **15**
Thakeham Clo. SE26 —1G **5**
Thanescroft Gdns. Croy
—7D **12**
Thanet Dri. Kes —7A **16**
Thanet Pl. Croy —7B **12**
Thaxted Rd. SE9 —6H **3**
Thayers Farm Rd. Beck
—5K **5**
Theobald Rd. Croy —6A **12**
Thesiger Rd. SE20 —4J **5**
Thicket Gro. SE20 —4F **5**
Thicket Rd. SE20 —4F **5**
Thirlmere Rise. Brom —3G **7**
Thirsk Rd. SE25 —1C **12**
Thistlemead. Chst —6E **8**
Thistlewood Cres. New Ad
—7E **20**
Thorn Clo. Brom —3D **16**
Thorndon Clo. Orp —6J **9**
Thorndon Rd. Orp —6J **9**
Thornes Clo. Beck —7D **6**
Thornet Wood Rd. Brom
—7D **8**
Thornhill Rd. Croy —4H **13**
Thornlaw Rd. SE27 —1A **4**
Thornsett Pl. SE20 —6G **5**
Thornsett Rd. SE20 —6G **5**
Thornsett Ter. SE20 —6G 5
(off Croydon Rd.)
Thornton Dene. Beck —6B **6**
Thornton Rd. Brom —2H **7**
Thornton Row. T Hth
—2A **12**
Thorpe Clo. New Ad —7D **20**
Thorpe Clo. Orp —6H **17**
Thorsden Way. SE19 —2D **4**
Thriffwood. SE26 —1H **5**
Thrift La. Cud —6C **28**
Thurbarn Rd. SE6 —2C **6**
Thurlby Rd. SE27 —1A **4**
Thurlestone Rd. SE27 —1A **4**
Thursland Rd. Sidc —2D **10**
Thursley Cres. New Ad
—4E **20**
Thursley Rd. SE9 —7E **2**
Thyer Clo. Orp —1F **23**
Ticehurst Clo. Orp —4K **9**
Tidenham Gdns. Croy
—7D **12**
Tideswell Rd. Croy —7B **14**
Tiepigs La. W Wick & Brom
—6F **15**
Tierney Ct. Croy —6E **12**
Tiger La. Brom —1J **15**
Tilbrook Rd. SE3 —1B **2**
Tilbury Clo. Orp —6A **10**
Tile Farm Rd. Orp —7G **17**
Tile Kiln La. Bex —1K **11**
Tilford Av. New Ad —5D **20**
Tillingbourne Grn. Orp
—1K **17**
Tilt Yd. App. SE9 —3E **2**
Timber Clo. Chst —6D **8**
Timbertop Rd. Big H —7E **26**
Tintagel Rd. Orp —6B **18**
Tipton Dri. Croy —7D **12**

Tirrell Rd. Croy —3B **12**
Titsey Hill. T'sey —5A **30**
Titsey Rd. Oxt —7A **30**
Tiverton Dri. SE9 —5H **3**
Tivoli Rd. SE27 —2B **4**
Tom Coombs Clo. SE9
—1D **2**
Tonge Clo. Beck —2B **14**
Tonge Vs. Beck —2B **14**
Tony Law Ho. SE20 —5G **5**
Tootswood Rd. Brom
—2F **15**
Topcliffe Dri. F'boro —1G **23**
Topley St. SE9 —1B **2**
Top Pk. Beck —2F **15**
Torridge Rd. T Hth —2A **12**
Torrington Sq. Croy —4C **12**
Torr Rd. SE20 —4J **5**
Torver Way. Orp —6J **17**
Totton Rd. T Hth —7A **4**
Tovil Clo. SE20 —6G **5**
Tower-Clo. SE20 —6G **5**
Tower Clo. Orp —6J **17**
Tower Rd. Orp —6J **17**
Tower View. Croy —4K **13**
Towncourt Cres. Orp
Towncourt La. Orp —3G **17**
Townsend. Sidc —3A **10**
Townshend Clo. Sidc —3A **10**
Townshend Rd. Chst —2E **8**
Towpath Way. Croy —1E **12**
Toynbee Clo. Chst —1E **8**
Transmere Clo. Orp —3F **17**
Transmere Rd. Orp —3F **17**
Tredown Rd. SE26 —2H **5**
Tredwell Clo. Brom —1B **16**
Tredwell Rd. SE27 —1A **4**
Treebourne Rd. Big H
—7E **7**
Treeview Clo. SE19 —5D **4**
Treewall Gdns. Brom —1J **7**
Treloar Gdns. SE19 —3C **4**
Tremaine Rd. SE20 —6G **5**
Trenholme Clo. SE20 —4G **5**
Trenholme Rd. SE20 —4G **5**
Trenholme Ter. SE20 —4G **5**
Trentham Dri. Orp —1E **17**
Tresco Clo. Brom —3F **7**
Trevor Clo. Brom —4G **15**
Trewsbury Rd. SE26 —2J **5**
Trinity Clo. Brom —5B **16**
Trinity Ct. SE25 —3D **12**
Trinity Ct. Croy —6B **12**
Trinity M. SE20 —5G **5**
Tristram Rd. Brom —1G **7**
Tritton Rd. SE21 —1C **4**
Troy Rd. SE19 —3C **4**
Trumble Gdns. T Hth
—1A **12**
Trunks All. Swan —6G **11**
Truslove Rd. SE27 —2A **4**
Tryon. Sidc —3A **10**
Tubbenden Clo. Orp —7H **17**
Tubbenden Dri. Orp —1G **23**
Tubbenden La. Orp —1G **23**
Tubbenden La. S. Orp
—2G **23**
Tudor Clo. Chst —5C **8**
Tudor Ct. Big H —6G **27**
Tudor Ct. Sidc —1K **9**
Tudor Gdns. W Wick —7D **14**
Tudor Rd. SE19 —4E **4**
Tudor Rd. SE25 —2G **13**
Tudor Rd. Beck —7D **6**
Tudor Way. Orp —3G **17**
Tudway Rd. SE3 —1A **2**
Tugela Rd. Croy —3C **12**
Tugmutton Clo. Orp —1E **22**
Tulip Clo. Croy —5J **13**
Tulse Clo. Beck —7D **6**
Tummons Gdns. SE25
—6D **4**
Tunstall Clo. Orp —1H **23**
Tunstall Rd. Croy —5D **12**
Turkey Oak Clo. SE19 —5D **4**
Turnberry Way. Orp —5G **17**

Turner Rd. Big H —1E **26**
Turners Meadow Way. Beck
—5A **6**
Turnpike Dri. Orp —5B **24**
Turnpike Link. Croy —6D **12**
Turnstone Rd. S Croy
—6A **20**
Turpington Clo. Brom
—3B **16**
Turpington La. Brom
—4B **16**
Tweedy Rd. Brom —5H **7**
Tye La. Orp —2F **23**
Tylers Grn. Rd. Swan
—3H **19**
Tylney Av. SE19 —2E **4**
Tylney Rd. Brom —6A **8**
Tynley Av. SE19 —2E **4**
Tynwald Rd. SE26 —1F **5**
Tyron Way. Sidc —1H **9**

Uffington Rd. SE27 —1A **4**
Ullswater Clo. Brom —4F **7**
Undershaw Rd. Brom —1G **7**
Underwood. New Ad —2D **20**
Underwood, The. SE9 —7E **2**
Union Rd. Brom —2A **16**
Union Rd. Croy —4B **12**
Unity Clo. SE27 —2B **4**
Unity Clo. New Ad —5C **20**
Upchurch Rd. SE20 —4G **5**
Updale Rd. Sidc —1J **9**
Upfield. Croy —7G **13**
Uplands. Beck —6B **6**
Uplands Rd. Orp —5A **18**
Up. Beulah Hill. SE19 —5D **4**
Upper Dri. Big H —7E **26**
Up. Elmers End Rd. Beck
—1K **13**
Upper Gro. SE25 —1E **12**
Up. Park Rd. Brom —5J **7**
Up. Shirley Rd. Croy —7H **13**
Upperton Rd. Sidc —2J **9**
Upton Ct. SE20 —4H **5**
Upton Rd. T Hth —6C **4**
Upwood Rd. SE12 —3A **2**
Urquhart Ct. Beck —4A **6**
Ursula Lodges. Sidc —2A **10**
Uvedale Clo. New Ad —7E **20**
Uvedale Cres. New Ad
—7E **20**

Valan Leas. Brom —7F **7**
Vale Clo. Orp —1D **22**
Valentyne Clo. New Ad
—7F **21**
Vale Rd. Brom —5D **8**
Vale St. SE27 —1C **4**
Valeswood Rd. Brom —2G **7**
Vale, The. Croy —6J **13**
Valley Rd. Orp —5A **10**
Valley Rd. Short —6F **7**
Valley View. Big H —7E **26**
Valley Wlk. Croy —6H **13**
Valliers Wood Rd. Sidc
—5J **3**
Vanburgh Clo. Orp —5H **17**
Vandyke Cross. SE9 —2D **2**
Vanessa Way. Bex —1J **11**
Vanguard Clo. Croy —5A **12**
Vanoc Gdns. Brom —1H **7**
Venner Rd. SE26 —3H **5**
Verdayne Av. Croy —6J **13**
Vermont Rd. SE19 —3D **4**
Vernon Clo. Orp —7A **10**
Versailles Rd. SE20 —4F **5**
Vicarage Ct. Beck —7K **5**
Vicarage Dri. Beck —6B **6**
Vicarage Rd. Croy —7A **12**
Vicars Oak Rd. SE19 —3D **4**
Viceroy Ct. Croy —6C **12**
Victoria Ct. SE26 —3H **5**
Victoria Cres. SE19 —3D **4**
Victoria Gdns. Big H —4E **26**

Victoria Rd. Brom —2A **16**
Victoria Rd. Chst —2D **8**
Victoria Rd. Sidc —1J **9**
Victor Rd. SE20 —4J **5**
Victory Pl. SE19 —4E **4**
View Clo. Big H —5E **26**
Viewlands Av. W'ham
—2K **31**
Vigilant Clo. SE26 —1F **5**
Village Grn. Av. Big H
—6G **27**
Village Grn. Way. Big H
—6G **27**
Village Way. Beck —6B **6**
Villiers Rd. Beck —6J **5**
Vincent Clo. Brom —1J **15**
Vincent Clo. Sidc —5K **3**
Vincent Rd. Croy —4D **12**
Vincent Sq. Big H —2E **26**
Vine Rd. Orp —3J **23**
Viney Bank. Croy —5A **20**
Vinson Clo. Orp —5K **17**
Violet La. Croy —7A **12**
Virginia Rd. T Hth —5A **4**
Vista, The. SE9 —4D **2**
Vista, The. Sidc —2J **9**
Vulcan Way. New Ad —6F **21**

Waddington Way. SE19
—4B **4**
Waddon Clo. Croy —7A **12**
Waddon New Rd. Croy
—7A **12**
Waddon Pk. Av. Croy —7A **12**
Waddon Rd. Croy —7A **12**
Wade Av. Orp —4C **18**
Wadhurst Clo. SE20 —6G **5**
Wakefield Ct. SE26 —3H **5**
Wakefield Gdns. SE19 —4D **4**
Wakely Clo. Big H —7E **26**
Waldegrave Rd. SE19 —4E **4**
Waldegrave Rd. Brom
—1B **16**
Waldegrove. Croy —7E **12**
Walden Av. Chst —1C **8**
Waldenhurst Rd. Orp —4C **18**
Walden Pde. Chst —3C **8**
(in two parts)
Walden Rd. Chst —3C **8**
Waldens Clo. Orp —4C **18**
Waldens Rd. Orp —4D **18**
Waldo Rd. Brom —7A **8**
Waldron Gdns. Brom —7E **6**
Waldrons, The. Croy —7A **12**
Walkden Rd. Chst —2D **8**
Walmer Clo. F'boro —1G **23**
Walnuts Rd. Orp —5K **17**
Walnuts, The. Orp —5K **17**
Walnut Tree Clo. Chst —5G **9**
Walnut Way. Swan —6J **11**
Walpole Rd. Brom —2A **16**
Walpole Rd. Croy —6C **12**
Walsh Cres. New Ad —1A **26**
Walsingham Pk. Chst —6G **9**
Walsingham Rd. New Ad
—6D **20**
Walsingham Rd. Orp —5A **18**
Walters Rd. SE25 —1D **12**
Walters Yd. Brom —6H **7**
Waltham Clo. Orp —5C **18**
Walton Grn. New Ad —5C **20**
Walton Rd. Sidc —1A **10**
Walwyn Av. Brom —7A **8**
Wandle Pk. Trading Est., The.
Croy —4A **12**
Wandle Rd. Croy —7B **12**
Wanstead Clo. Brom —6K **7**
Wanstead Rd. Brom —6K **7**
Warbank Clo. New Ad
—6F **21**
Warbank Cres. New Ad
—6F **21**
Wardens Field Clo. Grn St
—3J **23**
Waring Clo. Orp —3J **23**

Waring Dri. Orp —3J **23**
Waring Rd. Sidc —3B **10**
Waring St. SE27 —1B **4**
Warlingham Rd. T Hth
—1A **12**
Warminster Gdns. SE25
—6F **5**
Warminster Rd. SE25 —6E **4**
Warminster Sq. SE25 —6F **5**
Warnford Rd. Orp —2J **23**
Warren Av. Brom —4F **7**
Warren Av. Orp —2J **23**
Warren Ct. Beck —4B **6**
Warren Ct. Croy —5D **12**
Warren Dri. Orp —2A **24**
Warren Gdns. Orp —2K **23**
Warren Rd. Brom —6H **15**
Warren Rd. Chels —2J **23**
Warren Rd. Croy —5E **12**
Warren Rd. Sidc —1B **10**
Warren Wood Clo. Brom
—6G **15**
Warrington Rd. Croy —7A **12**
Warwick. Sidc —2A **10**
Warwick Clo. Orp —7K **17**
Warwick Ct. Brom —6F **7**
Warwick Rd. SE20 —7G **5**
Warwick Rd. Sidc —2A **10**
Warwick Rd. T Hth —7A **4**
Washneys Rd. Orp —3E **28**
Watcombe Pl. SE25 —1G **13**
Watcombe Rd. SE25 —2G **13**
Waterbank Rd. SE6 —1C **6**
Watercroft Rd. Hals —6E **24**
Waterer Ho. SE6 —1D **6**
Waterfield Gdns. SE25
—1D **12**
Wateringbury Clo. Orp
—7A **10**
Waterman's Sq. SE20 —4H **5**
Watermead Rd. SE6 —1D **6**
Watermen's Sq. SE20 —4H **5**
Waterside. Beck —5A **6**
Water Tower Hill. Croy
—7C **12**
Waterworks Yd. Croy —7B **12**
Watery La. Sidc —3A **10**
Watkins. Sidc —2A **10**
Watlings Clo. Croy —3K **13**
Watlington Gro. SE26 —2K **5**
Watts La. Chst —5E **8**
Wavell Dri. Sidc —3K **3**
Wavel Pl. SE26 —1E **4**
Waverley Clo. Brom —2A **16**
Waverley Ct. SE26 —2H **5**
Waverley Rd. SE25 —1G **13**
Wayfield Link. SE9 —3J **3**
Waylands. Swan —1K **19**
Waylands Clo. Knock —4A **22**
Waylands Mead. Beck —5C **6**
Wayne Clo. Orp —7J **17**
Waynflete Av. Croy —7A **12**
Wayside. New Ad —3C **20**
Wayside Gdns. SE9 —1C **8**
Wayside Gro. SE9 —1C **8**
Weald Clo. Brom —6B **16**
Weald, The. Chst —3C **8**
Weaver Wlk. SE27 —1B **4**
Wedgewood Way. SE19
—4B **4**
Wedgwoods. Tats —3B **30**
Weigall Rd. SE12 —1A **2**
Weighton M. SE20 —6G **5**
Weighton Rd. SE20 —6G **5**
Welbeck Av. Brom —1H **7**
Wellands Clo. Brom —2A **16**
Wellbrook Rd. Orp —1D **22**
Weller Pl. Orp —7D **22**
Wellesley Dri. Croy
—6C **12**
Wellesley Gro. Croy —6C **12**
Wellesley Rd. Croy —5B **12**
Well Hall Rd. SE9 —1D **2**
Well Hill. Orp —3G **25**

Well Hill La. Orp —3G **25**
Wellhouse Rd. Beck —1B **14**
Wellington Rd. Brom —1K **15**
Wellington Rd. Croy —4A **12**
Wellington Rd. Orp —3A **18**
Welling Way. SE9 & Well
—1H **3**
Wellsmoor Gdns. Brom
—7D **8**
Wells Pk. Rd. SE26 —1F **5**
Wells Rd. Brom —6C **8**
Wendover Rd. SE9 —1C **2**
Wendover Rd. Brom —7J **7**
Wendover Way. St M
—3K **17**
Wensley Clo. SE9 —3E **2**
Wentworth Clo. Hayes
—6H **15**
Wentworth Clo. Orp —2H **23**
Werndee Rd. SE25 —1F **13**
Wesley Clo. Orp —7B **10**
Wessex Ct. Beck —5K **5**
West App. Orp —2F **17**
Westbourne Rd. SE26 —3J **5**
Westbourne Rd. Croy —3E **12**
Westbrook Dri. Orp —5C **18**
Westbrooke Rd. Sidc —6J **3**
Westbrook Rd. T Hth —5C **4**
Westbury Rd. SE20 —5J **5**
Westbury Rd. Beck —7K **5**
Westbury Rd. Brom —5A **8**
Westbury Rd. Croy —3C **12**
West Comn. Rd. Hayes
—6H **15**
Westcott Clo. Brom —2B **16**
Westcott Clo. New Ad
—5C **20**
Westdean Av. SE12 —5A **2**
Westerham Hill. W'ham
—3G **31**
Westerham Lodge. Beck
(off Park Rd.)   —4B **6**
Westerham Rd. Kes —4A **22**
Westerley Cres. SE26 —2A **6**
Westfield Rd. Beck —6A **6**
Westfield Rd. Croy —6A **12**
Westgate Rd. SE25 —1G **13**
Westgate Rd. Beck —5D **6**
W. Hallowes. SE9 —5C **2**
Westharold. Swan —7J **11**
West Hill. Orp —1H **27**
Westholme. Orp —1H **17**
Westhorne Av. SE12 & SE9
—4A **2**
Westhurst Dri. Chst —2E **8**
Westland Dri. Brom —6G **15**
Westleigh Dri. Brom —5B **8**
Westminster Av. T Hth
—6A **4**
Westmoat Clo. Beck —4D **6**
Westmore Grn. Tats —2B **30**
Westmoreland Av. Well
—1K **3**
Westmoreland Pl. Brom
—7H **7**
Westmoreland Rd. Brom
—2F **15**
Westmore Rd. Tats —3B **30**
Westmorland Rd. SE20
—4G **5**
Westmount Rd. SE9 —1F **3**
West Oak. Beck —5E **6**
Weston Gro. Brom —5G **7**
Weston Rd. Brom —4G **7**
Westow Hill. SE19 —3D **4**
Westow St. SE19 —3D **4**
West Pk. SE9 —6D **2**
West St. Brom —5H **7**
West St. Croy —7B **12**
West Ter. Sidc —5K **3**
W. View Rd. Crock —3J **19**
West Way. Croy —6K **13**
Westway. Orp —2G **17**
West Way. W Wick —3E **14**
W. Way Gdns. Croy —6K **13**
Westwell Clo. Orp —5C **18**

A-Z Bromley 47

Westwood Av. SE19 —5C **4**
Westwood Clo. Brom —7A **8**
Westwood Hill. SE26 —2F **5**
Weybridge Rd. T Hth —1A **12**
Wharncliffe Gdns. SE25
—6D **4**
Wharncliffe Rd. SE25 —6D **4**
Wharton Rd. Brom —5J **7**
Whateley Rd. SE20 —4J **5**
Wheathill Rd. SE20 —6G **5**
Wheatsheaf Hill. Hals —5E **24**
Whinyates Rd. SE9 —1D **2**
Whippendell Clo. Orp —5A **10**
Whippendell Way. Orp
—5A **10**
Whitby Clo. Big H —1A **30**
Whitebeam Av. Brom —4D **16**
Whitecroft. Swan —6K **11**
Whitecroft Clo. Beck —1E **14**
Whitecroft Way. Beck
—2D **14**
Whitefield Clo. Orp —7B **10**
Whitefoot La. Brom —1D **6**
Whitehall Rd. Brom —2A **16**
White Hart Rd. Orp —4K **17**
White Hart Slip. Brom —6H **7**
Whitehaven Clo. Brom
—1H **15**
Whitehorn Gdns. Croy
—6G **13**
White Horse Hill. Chst —7D **12**
Whitehorse La. SE25 —1C **12**
Whitehorse Rd. Croy & T Hth
—4B **12**
White La. Oxt —5A **30**
Whiteley Rd. SE19 —2C **4**
White Lodge. SE19 —4A **4**
Whiteoak Ct. Chst —3D **8**
White Oak Ct. Swan —7K **11**
White Oak Dri. Beck —6D **6**
Whites Dri. Brom —3G **15**
White's Meadow. Brom
—1D **16**
Whitethorn Gdns. Croy
—6G **13**
Whitewebbs Way. Orp —5J **9**
Whitewood Cotts. Tats
—2B **30**
Whitgift Cen. Croy —6B **12**
Whitgift Sq. Croy —6B **12**
Whitgift St. Croy —7B **12**
Whitmore Rd. Beck —7A **6**
Whitney Wlk. Sidc —3D **10**
Whitstable Clo. Beck —5A **6**
Whittell Gdns. SE26 —1H **5**
Whitworth Rd. SE25 —7D **4**
Wichling Clo. Orp —5C **18**
Wickers Oake. SE19 —1E **4**
Wicket, The. Croy —2B **20**
Wickham Av. Croy —6K **13**
Wickham Chase. W Wick
—5E **14**
Wickham Ct. Rd. W Wick
—6D **14**
Wickham Cres. W Wick
—6D **14**

Wickham Rd. Beck —6C **6**
Wickham Rd. Croy —6J **13**
Wickham Way. Beck —1D **14**
Wicks Clo. SE9 —1A **8**
Widecombe Rd. SE9 —7D **2**
Widmore Lodge Rd. Brom
—6A **8**
Widmore Rd. Brom —6H **7**
Wilderness Rd. Chst —4E **8**
Wilks Gdns. Croy —5K **13**
Will Crooks Gdns. SE9
—1C **2**
Willersley Av. Orp —7G **17**
Willersley Av. Sidc —5K **3**
Willett Clo. Orp —3H **17**
Willett Way. Orp —2G **17**
William Barefoot Dri. SE9
—1D **8**
William Booth Rd. SE20
—5F **5**
William Nash Ct. St M
—7B **10**
William Pl. St M —1B **18**
Willis Rd. Croy —4B **12**
Willow Bus. Pk. SE26 —1H **5**
Willow Clo. Brom —2C **16**
Willow Clo. Orp —4A **18**
Willow Grange. Sidc —1A **10**
Willow Gro. Chst —3D **8**
Willow Ho. Brom —6F **7**
Willow Mt. Croy —7D **12**
Willow Tree Ct. Sidc —2J **9**
Willow Tree Wlk. Brom
—5J **7**
Willow Vale. Chst —3E **8**
Willow Wlk. Orp —7E **16**
Willow Way. SE26 —1H **5**
Willow Wood Cres. SE25
—3D **12**
Wilmar Gdns. W Wick
—5C **14**
Wilmington Av. Orp —6B **18**
Wiltshire Rd. Orp —4K **17**
Wiltshire Rd. T Hth —7A **4**
Wimborne Av. Orp & Chst
—1J **17**
Wimborne Way. Beck —7J **5**
Wimpole Clo. Brom —1K **15**
Winchcomb Gdns. SE9
—1C **2**
Winchester Clo. Brom —7G **7**
Winchester Pk. Brom —7G **7**
Winchester Rd. Brom —7G **7**
Winchester Rd. Orp —1B **24**
Winchet Wlk. Croy —3H **13**
Winchfield Rd. SE26 —2K **5**
Wincrofts Dri. SE9 —1J **3**
Windermere Clo. Orp —7E **16**
Windermere Rd. Croy —5E **12**
Windermere Rd. W Wick
—6F **15**
Windfield Clo. SE26 —1J **5**
Windham Av. New Ad
—6E **20**
Windmill Dri. Kes —1K **21**
Windmill Gro. Croy —3B **12**

Windmill Rd. Croy —4B **12**
Windsor Clo. SE27 —1B **4**
Windsor Clo. Chst —2E **8**
Windsor Dri. Orp —3K **23**
Windsor Gro. SE27 —1B **4**
Windsor Rd. T Hth —6A **4**
Windy Ridge. Brom —5B **8**
Wingate Rd. Sidc —3B **10**
Winlaton Rd. Brom —1E **6**
Winn Rd. SE12 —5A **2**
Winterborne Av. Orp —7G **17**
Winterbourne Av. Orp
—7G **17**
Winterbourne Rd. T Hth
—1A **12**
Winterton Ct. SE20 —6F **5**
Winton Ct. Swan —1K **19**
Winton Rd. Orp —1E **22**
Winton Way. SW16 —2A **4**
Wirrall Ho. SE26 —1F **5**
Wisbeach Rd. Croy —2C **12**
Wisley Rd. Orp —4K **9**
Wistaria Clo. Orp —6E **16**
Wisteria Gdns. Swan —6J **11**
Witham Rd. SE20 —7H **5**
Withens Clo. Orp —1B **18**
Witherston Way. SE9 —6F **3**
Witley Cres. New Ad —3D **20**
Wittersham Rd. Brom —2G **7**
Wiverton Rd. SE26 —3H **5**
Woburn Rd. Croy —5B **12**
Woldham Rd. Brom —1K **15**
Wolds Dri. Orp —1D **22**
Wolfe Clo. Brom —3H **15**
Wolfington Rd. SE27 —1A **4**
Wolsey Cres. New Ad
—5D **20**
Wolsey M. Orp —2J **23**
Woodbank Rd. Brom —1G **7**
Woodbastwick Rd. SE26
—2J **5**
Woodberry Gro. Bex —1J **11**
Woodbine Gro. SE20 —4G **5**
Woodbine Rd. Sidc —5K **3**
Woodbury Clo. Big H
—7H **27**
Woodbury Clo. Croy —6E **12**
Woodbury Ho. SE26 —1F **5**
Woodbury Rd. W'ham
—7H **27**
Woodchurch Clo. Sidc —7J **3**
Woodchurch Dri. Brom
—4A **8**
Wood Clo. Bex —1K **11**
Woodclyffe Dri. Chst —6D **8**
Woodcote Av. T Hth —1A **12**
Woodcote Dri. Orp —4G **17**
Woodcote Pl. SE27 —2A **4**
Woodcroft. SE9 —7E **2**
Woodcroft Rd. T Hth —2A **12**
Wood Dri. Chst —3A **8**
Woodend. SE19 —3B **4**
Wooderson Clo. SE25
—1D **12**
Woodfield Clo. SE19 —4B **4**
Woodhead Dri. Orp —7H **17**

Woodhurst Av. Orp —3F **17**
Woodington Clo. SE9 —3F **3**
Woodknoll Dri. Chst —5C **8**
Woodland Clo. SE19 —3D **4**
Woodland Hill. SE19 —3D **4**
Woodland Rd. SE19 —2D **4**
Woodland Rd. T Hth —1A **12**
Woodlands. Short —1G **15**
Woodlands Av. Sidc —5K **3**
Woodlands Clo. Brom —6C **8**
Woodlands Clo. Swan
—6K **11**
Woodlands Ct. Brom —5G **7**
Woodlands Pk. Bex —1J **11**
Woodlands Rise. Swan
—6K **11**
Woodlands Rd. Brom —6B **8**
Woodlands Rd. Orp —3K **23**
Woodlands Ter. Swan
—3G **19**
Woodlands, The. SE19
—4B **4**
Woodlands, The. Orp —3A **24**
Woodlands View. Badg M
—6G **25**
Woodland Wlk. Brom —1F **7**
(in two parts)
Woodland Way. Croy —5K **13**
Woodland Way. Orp —1F **17**
Woodland Way. W Wick
—1C **20**
Woodlea Dri. Brom —2F **15**
Woodley Rd. Orp —6B **18**
Wood Lodge Gdns. Brom
—4B **8**
Wood Lodge La. W Wick
—7D **14**
Woodmere. SE9 —5E **2**
Woodmere Av. Croy —4H **13**
Woodmere Clo. Croy —4J **13**
Woodmere Gdns. Croy
—4J **13**
Woodmere Way. Beck
—2E **14**
Woodmount. Swan —4J **19**
Woodpecker Mt. Croy
—5A **20**
Wood Ride. Orp —1G **17**
Wood Rd. Big H —7E **26**
Woodside. Orp —2A **24**
Woodside Av. SE25 —3G **13**
Woodside Av. Chst —2F **9**
Woodside Ct. Rd. Croy
—4F **13**
Woodside Cres. Sidc —7K **3**
Woodside Dri. Dart —1K **11**
Woodside Grn. SE25 —3F **13**
(in two parts)
Woodside Pk. SE25 —3G **13**
Woodside Rd. SE25 —3G **13**
Woodside Rd. Brom —2B **16**
Woodside Rd. Sidc —7K **3**
Woodside Way. Croy —3H **13**
Woodstock Gdns. Beck
—5C **6**
Woodstock Rd. Croy —7C **12**

Woodsyre. SE26 —1E **4**
Woodvale Av. SE25 —7E **4**
Woodvale Wlk. SE27 —2B **4**
Woodview Clo. Orp —6F **17**
Woodview Rd. Swan —6H **11**
Woodville Ct. SE19 —5E **4**
Woodville Rd. T Hth —1B **12**
Woodway. Orp —6D **16**
Woodyates Rd. SE12 —3A **2**
Worbeck Rd. SE20 —6G **5**
Worcester Clo. Croy —6B **14**
Wordsworth Rd. SE20 —4J **5**
Worlds End La. Orp —3J **23**
Worsley Bri. Rd. SE26 & Beck
—1A **6**
Worth Clo. Orp —1H **23**
Wotton Grn. Orp —1C **18**
Wren Clo. Orp —7C **10**
Wren Rd. Sidc —1B **10**
Wrenthorpe Rd. Brom —1F **7**
Wrights Rd. SE25 —7D **4**
Wrotham Ho. Beck —4A **6**
(off Sellindge Clo.)
Wych Elm Lodge. Brom
—4G **7**
Wychwood Av. T Hth —7B **4**
Wychwood Way. SE19 —3C **4**
Wydehurst Rd. Croy —4F **13**
Wydenhurst Rd. Croy —4F **13**
Wydeville Mnr. Rd. SE12
—1J **7**
Wye Clo. Orp —4J **17**
Wyncham Av. Sidc —6K **3**
Wyncroft Clo. Brom —7C **8**
Wyndham Clo. Orp —5F **17**
Wynford Gro. Orp —7A **10**
Wynford Way. SE9 —7E **2**
Wynton Gdns. SE25 —2E **12**
Wythens Wlk. SE9 —3G **3**
Wythes Clo. Brom —6C **8**
Wythfield Rd. SE9 —3E **2**
Wyvern Clo. Orp —7A **18**

Yalding Clo. Orp —1C **18**
Yeoman Clo. SE27 —1A **4**
Yeovil Clo. Orp —6H **17**
Yester Dri. Chst —4B **8**
Yester Pk. Chst —4C **8**
Yester Rd. Chst —4B **8**
Yewdale Clo. Brom —3F **7**
Yew Tree Cotts. Hals —1K **29**
Yewtree Rd. Beck —7A **6**
Yew Tree Way. Croy —6A **20**
Yolande Gdns. SE9 —2D **2**
York Av. Sidc —6K **3**
Yorkland Av. Well —1K **3**
York Rise. Orp —6H **17**
York Rd. Big H —1A **30**
York Rd. Croy —4A **12**

Zelah Rd. Orp —4B **18**
Zermatt Rd. T Hth —1B **12**
Zion Pl. T Hth —1C **12**
Zion Rd. T Hth —1C **12**